북한 핵 문제

총괄 2

북한 핵 문제

총괄 2

한국학술정보

| 머리말

1985년 북한은 소련의 요구로 핵확산금지조약(NPT)에 가입한다. 그러나 그로부터 4년 뒤, 60년대 소련이 영변에 조성한 북한의 비밀 핵 연구단지 사진이 공개된다. 냉전이 종속되어 가던 당시 북한은 이로 인한 여러 국제사회의 경고 및 외교 압력을 받았으며, 1990년 국제원자력기구(IAEA)는 북핵 문제에 대해 강력한 사찰을 추진한다. 북한은 영변 핵시설의 사찰 조건으로 남한 내 미군기지 사찰을 요구하는 등 여러 이유를 댔으나 결국 3차에 걸친 남북 핵협상과 남북핵통제공동위원회 합의 등을 통해 이를 수용하였고, 결국 1992년 안전조치협정에도 서명하겠다고 발표한다. 그러나 그로부터 1년 뒤 북한은 한미 합동훈련의 재개에 반대하며 IAEA의 특별사찰을 거부하고 NPT를 탈퇴한다. 이에 UN 안보리는 대북 제재를 실행하면서 1994년 제네바 합의 전까지 남북 관계는 극도로 경직되게 된다.

본 총서는 외교부에서 작성하여 최근 공개한 1991~1992년 북한 핵 문제 관련 자료를 담고 있다. 북한의 핵안전조치협정의 체결 과정과 북한 핵시설 사찰 과정, 그와 관련된 미국의 동향과 일본, 러시아, 중국 등 우방국 협조와 관련한 자료까지 총 14권으로 구성되었다. 전체 분량은 약 7천여 쪽에 이른다.

2024년 3월

한국학술정보(주)

| 일러두기

· 본 총서에 실린 자료는 2022년 4월과 2023년 4월에 각각 공개한 외교문서 4,827권, 76만여 쪽 가운데 일부를 발췌한 것이다.

· 각 권의 제목과 순서는 공개된 원본을 최대한 반영하였으나, 주제에 따라 일부는 적절히 변경하였다.

· 원본 자료는 A4 판형에 맞게 축소하거나 원본 비율을 유지한 채 A4 페이지 안에 삽입하였다. 또한 현재 시점에선 공개되지 않아 '공란'이란 표기만 있는 페이지 역시 그대로 실었다.

· 외교부가 공개한 문서 각 권의 첫 페이지에는 '정리 보존 문서 목록'이란 이름으로 기록물 종류, 일자, 명칭, 간단한 내용 등의 정보가 수록되어 있으며, 이를 기준으로 0001번부터 번호가 매겨져 있다. 이는 삭제하지 않고 총서에 그대로 수록하였다.

· 보고서 내용에 관한 더 자세한 정보가 필요하다면, 외교부가 온라인상에 제공하는 『대한민국 외교사료요약집』 1991년과 1992년 자료를 참조할 수 있다.

| 차례

정 리 보 존 문 서 목 록					
기록물종류	일반공문서철	등록번호	32695	등록일자	2009-02-26
분류번호	726.61	국가코드		보존기간	영구
명 칭	북한 핵문제, 1992. 전13권				
생 산 과	북미1과/북미2과	생산년도	1992~1992	담당그룹	
권 차 명	V.4 한.미국.일본 실무회의. 서울, 5.30				
내용목차	* 과장급 실무관계자 회의				

0001

9

관리번호	92-610

원 본

외 무 부

종 별 : 지 급

번 호 : USW-2057 일 시 : 92 0422 2032

수 신 : 장 관 (미일,미이,정안,국기,정특,기정)

발 신 : 주 미 대사

제 목 : 국무부 한국과장 면담

금 4.22. 당관 임성준 참사관은 KARTMAN 국무부 한국과장을 면담한바, 주요협의 내용 하기 보고함.

1. KANTER 차관 방한

- KANTER 차관 아주순방 발표문제에 대해 KARTMAN 과장은 미측으로서는 동건에 대해 구체적으로 기자들로 부터 질문이 있을 경우 동 차관의 아주순방 시기 (국별 상세없이 전체기간만 명시), 순방국가명에 대해 확인만 해주는 정도로 대처할 예정이라고 밝힘.

- 이어 동 과장은 금번 KANTER 차관 방한의 중요성에 비추어 동 차관의 대통령 예방이 반드시 주선되기를 바란다고 부언함.

검토필 (1992. 6. 30.)

2. 북한 핵문제

- KARTMAN 과장은 JNCC 3 차 회의시에도 남북 상호사찰 실현에 전혀 진전이없었던 것으로 평가된다고 전제하고, 북한이 IAEA 사찰만 수용하고, 동시사찰은 회피할 가능성이 점차 높아지고 있는 상황에서 북한에 영향을 미칠 수 있는 한. 미.일 3 국이 명확한 공동보조를 통해서 동일한 메세지를 전달하는 것이 중요한 만큼, 어느시점에서(예를들어 5 월말경) 한. 미.일 3 국의 실무자(WORKING LEVEL) 들간의 북한 핵문제에 관한 조정(COORDINATION)이 필요할 것으로 본다고하면서, 동건에 대해 서로 관련국과 협의를 가져 보자고 제의함.

- 이에대해 임참사관은 상기 협의의 필요성에 동감을 표시하고, 동 제안을 본부에 보고후 결과를 알려주겠다고 하였음. 동 제안에 대한 본부 입장 회시바라며, 아울러 일본측에도 동 문제를 제기, 입장을 타진해 볼 것을 건의함.

- 또한 KARTMAN 과장은 JNCC 3 차 회의후 아측이 주한 대사관을 통해 북한이 동 회의에서 보인 비협조적 태도에 대해 미국이 공개적으로 비난하는 논평을 해 줄것을

미주국	장관	차관	1차보	2차보	미주국	국기국	외정실	외정실
분석관	정와대	안기부						

PAGE 1

92.04.23 10:29

외신 2과 통제관 BZ

0002

요청해 왔다고 하면서, 미측도 북한의 불성실한 태도를 지적할 필요성에는 전적으로 공감하나, 한 특정회의를 지칭, 논평하는 것은 바람직하지 않은 것으로 판단되어, 다른 방안을 강구해 보아야 할 것으로 생각하고 있다고 언급함.

3. 미국 밀 대북한 수출허가

- KARTMAN 과장은 미국 밀의 대북수출 허가에 대한 아측의 높은 관심을 감안, 동 밀 거래가 실제 어떻게 이루어졌는지 추적해 보고 있는 중이라고 하고, 현재까지 파악한 정보에 의하면, 실제 북한에 수출된 밀은 카나다산일 가능성이 크며, 이는 거래상사가 내역을 밝히고 있지는 않지만, 통계.통관절차등을 통해 추적해 볼때 미국상사가 북한이 원하는 값싼 밀을 찾아 수출하는 중계상 역할을 통해 카나다산 밀을 수출케 된 것으로 보인다고 말하면서, 새로운 내용이 더 파악되는 대로 아측에 알리겠다고 밝힘.

- 이에대해 임참사관은 카나다도 미국과 유사한 대북한 EMBARGO 정책을 갖고 있는지 문의하자, KARTMAN 과장은 카나다도 인도적 물품을 제외한 대북수출을금지하고 있는 것으로 알고 있으나, 그간 카나다산 밀이 북한에 계속 공급되어온 것으로 알고 있다고 언급함.

4. 미군 유해 송환

- KARTMAN 과장은 주한 미군 통보에 의하면 지난 4.19. 북한과의 정전위(MAC) 비공식 협의시 미군측이 북한의 미군 유해송환 의도에 사의를 표명하고, 동 송환 절차에 대해 협의를 가졌다고 하면서, 동 협의시 미측은 (1) 북한의 미군 유해 30 구 송환, (2) 정전위 비서장 주관하 유해 송환식 거행, (3) 유해송환 직후 UNC 참모장이 북한군 대표를 별도 접촉, 사의 표명, (4) 송환일자 명시등의 4 개항으로 구성된 PROTOCOL 안을 제시하였다고 설명함.

- KARTMAN 과장은 상기 유해송환이 5 월초에서 6 월초 사이에 있을 것으로 예상된다고 하고, 국무부로서는 북한이 상기 MAC 경로를 이용해서 유해송환을 할것을 희망하고 있으나, 만약 필요시 유해송환을 위한 별도 기구 결성 방안을 수립키 위해 국방부등 관계부처와 금명간 협의를 가질 계획이라고 밝힘.끝.

(대사 현홍주-국장)

예고: 92.12.31. 일반

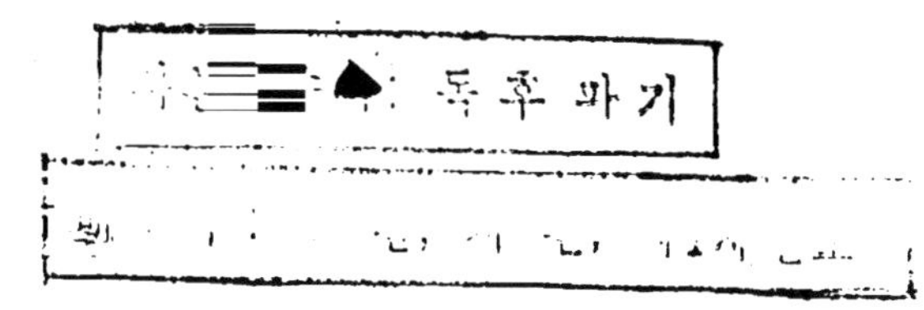

長 官 報 告 事 項

報 告 畢

1992. 4. 23.
北 美 2 課(24)

題 目 : 北韓 核問題 關聯 韓.美.日 3者 實務 協議

> 美側은 北韓이 南北相互査察을 계속 遲延시킬 경우에 對備, 北韓 核問題 解決을 위한 韓.美.日 3國의 政策 共同 步調를 위해 3國 實務者간 協議 開催를 提議하여 왔는 바, 要旨 아래 報告드립니다.

1. 美側 提議 內容 (4. 22. Kartman 韓國課長 發言 要旨)

 o 最近 JNCC 會議 結果를 감안할때 北韓이 IAEA 査察만을 受容하고 南北相互査察은 回避할 可能性 濃厚

 o 이러한 狀況下 北韓 核問題 解決을 위해 韓.美.日 3國이 共同步調를 취하여 同一한 메세지를 傳達하는 것이 重要

 o 5月末頃 韓.美.日 3國 實務者간 協議를 갖고 相互 立場 調整 必要

2. 美側 提議 檢討

 o 美側은 北韓의 核開發 沮止를 위해 南北相互査察 實施가 보다 重要하다는 韓.美.日 共同 立場 定立을 强調

 - IAEA 査察의 不完全性 勘案, IAEA 査察만으로 北韓 核問題 解決 未洽

 - 日本의 對北韓 修交 交涉시 北韓의 南北相互査察 受容을 要求할 것을 促求

 - 我國에 대해서도 南.北韓 相互査察 强力 推進 要望

o 5月末 時點에서의 北韓 核問題 解決 戰略을 3國間 再檢討 必要

- IAEA 査察 관련, 北韓의 5월말 이전 最初報告書 提出에 따른 北側 誠實性 判斷 및 6월 IAEA 理事會 대비 3국간 立場 整理 必要

- 南北相互査察 관련, 5. 19경까지의 相互査察規定 採擇 時限 考慮

o 昨年 6月 北韓 核問題 관련, 韓.美.日 3國 課長級會議의 成果에 비추어 3국간 共同 步調의 重要性을 勘案

- 日本의 對北韓 修交 交涉 관련, 北韓의 核再處理施設 포함 IAEA 査察 受容을 前提條件化 하도록 立場 調整

3. 建議 및 措置 豫定 事項

o 美側 提議 受諾, 3國 實務協議 5월말 推進

- 작년 3국 課長級會議에서 北韓 核問題 解決을 위해 필요시 實務級 協議를 계속 갖기로 한 점 考慮

o 우리측의 同意 意思를 美側에 通報하고, 동시에 駐日大使館을 통해 日側에도 立場을 打診토록 措置

- 日側 同意時 時期 및 場所 協議

4. 對言論 對策 : 保安 維持

- 끝 -

관리 번호	

	분류번호	보존기간

발 신 전 보

번 호 : 종별 :

수 신 : 주 미 대사, 총영사

발 신 : 장 관 (미이)

제 목 : 북한 핵문제 관련 3자 실무 협의

대 : UWS-2057

1. 북한이 남북상호사찰규정 합의를 계속 지연시킬 가능성에 대비, 한.미.일 3국간 정책 공동 보조를 위한 대호 미측의 3국 실무자 협의 개최 제의에 원칙적으로 동의함.

2. JNCC 회의에서의 그간 북한측 태도등에 비추어 볼때 북한이 사찰규정 합의를 계속 지연시킬 가능성이 있으며, 이에 따라 동 문제 해결이 난망시될 경우에 대비하여 3국간 공동 보조를 위한 실무 협의가 필요하다고 보나 북측이 5월말까지 사찰규정 합의 필요성을 언급하고 있으며 또 그간 남북대화 과정에서 협상 시한의 마지막 순간 양보를 해온 적이 있음을 감안할때 실무 협의의 시기, 장소 및 의제등은 추후 북한측 태도등을 보아가면서 정하는 것이 좋을 것으로 봄.

3. 동 협의 개최 관련 일측 입장은 현재 타진중에 있는바 반응 접수되는 대로 귀관 통보 예정임. 끝.

예고 : 92. 12. 31. 일반

보 안 통 제	

앙 고 재	년 월 일	과	기안자 성 명		과 장		국 장		차 관	장 관

외신과통제

0006

관리 번호	

	분류번호	보존기간

발 신 전 보

번 호 : 종별 :

수 신 : 주 일 대사, 총영사

발 신 : 장 관 (미이)

제 목 : 북한 핵문제 관련 한.미.일 3자 실무 협의

1. 미측은 최근 북한이 남북핵사찰을 계속 지연시킬 경우에 대비, 북한 핵문제 해결을 위한 한.미.일 3국의 정책 공동 보조를 위해 3국 실무자간 협의 개최를 제의해 왔음.

2. 미측은 최근 JNCC 회의 결과등을 감안할때 북한이 IAEA 사찰만을 수용하고 남북상호사찰은 계속 회피할 가능성이 농후하다고 보고 이러한 상황하에서 북한 핵문제 해결을 위해 한.미.일 3국이 공동보조를 취해 동일한 메세지를 전달하는 것이 중요하다고 보고 5월말경 한.미.일 3국 실무자간 협의를 제의해 온 것임.

3. 우리는 5. 19경까지의 상호사찰규정 채택 시한, 5월말 이전 북한의 최초 보고서 제출에 따른 북측 성실성 판단 및 6월 IAEA 이사회에 대비한 3국간 공동 입장 정립 필요성등을 감안 5월말경 3국 실무자 협의 개최가 바람직하다고 보는바 이와 관련한 일측 입장을 파악 보고 바람. (동 제의에 일측이 동의하는 경우 회의 구체일자, 장소 의제등은 추후 일측과 재협의 예정임)

/계속/

보안 통제	

앙 고 재	년 월 일	과	기안자 성명		과 장		국 장		차 관	장 관

외신과통제

0007

4. 한편 91. 6월 워싱턴 개최 북한 핵문제 관련 한.미.일 3국 실무협의시는 3국간 공동보조 중요성을 감안 동 회의를 계속 갖기로 의견 일치본 바 있음을 참고 바람. 끝.

예고 : 92. 12. 31. 일반

0008

관리 번호	92-813

원 본

외 무 부

종 별 : 지 급

번 호 : USW-2393 일 시 : 92 0511 1838

수 신 : 장 관 (미일,미이,국기,아일,정특)

발 신 : 주 미 대사

제 목 : 한.미.일 핵문제 실무협의

1. 금 5.11. 당관 임성준 참사관의 국무부 KARTMAN 한국과장 면담시, 동 과장은 표제건과 관련 지난주말 당지 일본대사관으로 부터 주무부서인 외무성 북동아과의 업무폭주(일.북한 수교 교섭등)로 인하여 6 월 중순 이후 개최하는 것이 좋겠다는 연락을 받고 궤일 부통령 수행차 방일하는 ANDERSON 부차관보로 하여금일본측에 대하여 동 협의의 중요성을 강조토록 할 예정이라고 밝혔음.

2. 동 과장은 IAEA 사찰과 남북한 상호사찰 실현 전망이 밝아졌다 하더라도북한의 핵개발을 저지한다는 공동의 목표가 달성될때 까지는 한. 미.일 3 국의공동 보조가 중요하며, [illegible] 3 자간 실무협의 필요성이 있다고 본다는 입장을 설명하면서, 아측이 일본과 적극 협의하여 줄것을 요청하였음.

3. 상기관련 본부에서도 일본측에 대하여 관련 입장을 타진하여 주기 바라며, 그 결과를 당관에 회시바람. 끝.

(대사 현홍주-국장)

예고: 92.12.31. 일반

미주국 장관 차관 1차보 아주국 미주국 국기국 외정실 분석관
청와대 안기부

0009

PAGE 1

92.05.12 09:22

외신 2과 통제관 BN

관리 번호	92-882

분류번호	보존기간

발 신 전 보

번 호 : WUS-2394 920520 1954 CJ 종별 : 지급

WJA -2262

수 신 : 주 미 대사. 총영사 (사본 : 주일대사)

발 신 : 장 관 (미 일●, 미이)

제 목 : 한.미.일 실무협의

대 : USW - 2393, 2535

1. 아측으로서는 북한 핵문제 해결을 위한 한.미.일 3국간 협조가 잘 진행되어 왔으며, 이에는 한.미 양국간의 긴밀한 협조와 일본측의 신중한 대북한 정책이 효율적으로 기여했다고 평가하고 있음.

2. IAEA 사찰의 실시전망과 상호사찰제도 합의 시한을 앞두고 있는 현 시점에서 한.미.일 3국이 바람직한 대북한정책을 견지해 나가고 여타 우방국들의 협조도 계속 확보해 나가는 것은 매우 중요하다고 인식되므로 5월말 또는 6월초 3국 실무자간(과장급) 협의를 개최하는데 이의없음.

3. 협의의 성격과 관련, 그간 한.미 양측이 인식하여온 바와 같이 실무선에서의 격식없는 대화를 나누는 것이 좋을 것이며, 협의시에는 북한 핵문제의 조속한 해결을 위한 공동인식 확인, 일본의 대북한 수교교섭, 미국의 대북한정책등 대북한 정책 추진방안, 여타 주요국가의 외교협력확보 방안등 핵문제 및 관련 현안문제들을 논의하는 것이 바람직 할 것으로 판단하고 있음.

/ ... 계 속

보안 통제	

앙 고 재	92년 5월 21일	북미 1 과	기안자 성명		과 장		국 장	심의관	차 관	장 관

외신과통제

0010

4. 다만 현재 시기적으로 남.북협상이 계속 진행중에 있어, 한.미.일 3국 관계자간의 협의에 대해 언론이 과장보도를 할 우려가 있고, 이에따른 국내외의 불필요한 부정적 반응을 초래할 소지가 있는 바, 아측으로서는 동 협의회가 언론에 보도되지 않는 조용한 방법으로 개최되기를 희망함.

5. 이와관련, 협의 개최장소는 서울을 포함, 어떠한 장소도 관계 없으나 가급적 분주하지 않고 언론의 취재가 용이치 않은 지점이 좋을 것으로 판단되며, 휴일을 이용, 협의를 개최하는 것도 한 방법으로 사료되는 바, 이에 관한 미측의견을 확인 보고 바람. 만일 미측이 금번 협의개최지를 서울을 선호할 경우에는 적절히 조용한 장소를 물색토록 할 예정임. 끝.

(차 관 노 창 회)

예 고 : 1992.12.31.일반

0011

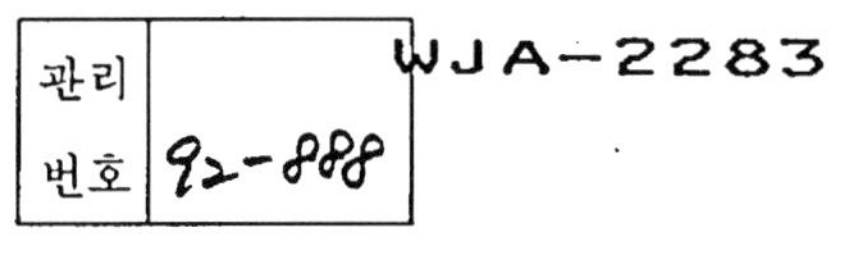
관리 번호 92-888 WJA-2283

분류번호	보존기간

발 신 전 보

번 호 : ~~WUS-2410 920521 2004 CO~~ 종별 :

수 신 : 주 일 대사. 총영사

발 신 : 장 관 (미 일)

제 목 : 한.미.일 실무협의

연 : WJA - 2232

1. 표제관련, 노다히도시 주한 일본대사관 1등서기관은 북미1과장에게 무또 북동아과장이 5.27.-28. 개최 한.일통상 실무교섭반 회의차 5.26. 방한하며, 표제회의는 5.29. 개최할 것을 희망하고 있다고 통보하여 왔음.

2. 이에 대해 북미1과장은 연호 4항 대언론 보안유지 차원에서 5.30(토) 오전, 오후 2번의 session과 미주국장 주최 만찬등 우리측 회의 진행 계획을 설명한 바 있으니 일측에 우리측 계획을 통보하고 일본측의 견해등 파악 보고바람.

3. 미측의 Kartman 과장은 5.26(화) 방한, 주한미대사관과의 업무협의 등 별도 일정을 갖고 표제협의 참석후 5.31(일) 이한 예정이며, 표제협의의 구체적 일정 주선등은 아측에 일임하였음을 참고바람.

4. 또한 Kartman 과장은 자신의 방한사실이 언론에 누출될 경우 국내 각 정당의 대통령 후보 선출과 관련한 국내정세 파악 목적으로 설명할 생각이라 말하였음을 참고바람. 끝.

(미주국장 정 태 익)

예 고 : 1992.12.31.일반

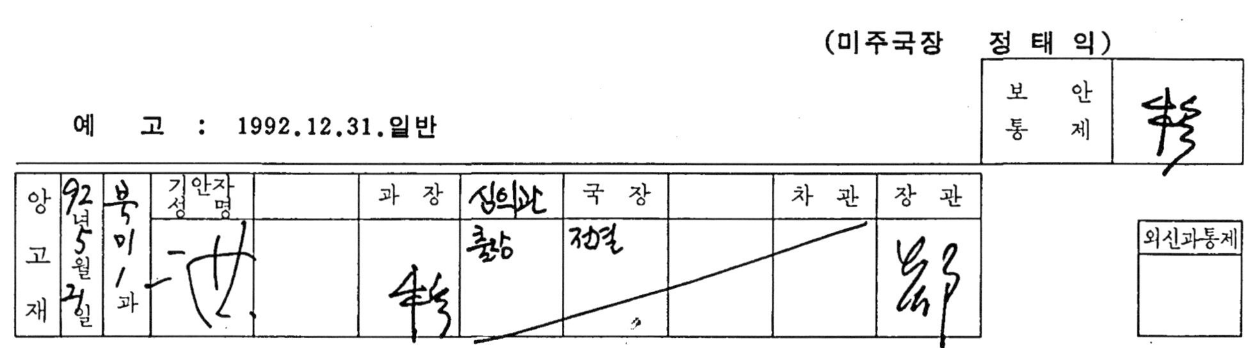
보안 통제

앙 고 재	92년 5월 21일	북미1과	기안자 성명		과 장	심의관	국 장		차 관	장 관
							전결			

외신과통제

0012

관리번호	92-896

원 본

외 무 부

종 별 :

번 호 : JAW-3036 일 시 : 92 0522 2246

수 신 : 장관(미일,아일)

발 신 : 주 일 대사(일정)

제 목 : 한.미.일 실무협의

대 : WJA-2283

1. 금 5.22(금) 당관 김영소 정무과장이 외무성 무또 북동아과장을 방문, 대호 2항 아측 회의진행계획을 설명하고 일측의 견해를 문의한바, 동 과장은 아측의 5.30(토) 회의개최계획에 동의한다고 하고, 안전보장과 담당직원 1 인도 함께 동회의에 참석할 것을 검토중에 있다함.

2. 무또 과장은 5.26-31. 간 방한 예정이라함. 끝

(대사 오재희-국장)

예고:92.12.31. 일반

미주국 아주국

PAGE 1

92.05.22 23:59

외신 2과 통제관 FK

0013

관리 번호	92-895

원 본

외 무 부

종 별 : 지 급

번 호 : USW-2627 일 시 : 92 0522 1047

수 신 : 장관(미일,미이)

발 신 : 주미대사

제 목 : 북한핵문제 관련 한.미.일 협의

연:USW-2574

금번 북한핵문제 관련 한. 미.일협의시 KARTMAN 한국과장과의 계속적인 업무협의 중요성을 감안, 당관 임성준 참사관을 참여시키는것이 좋을것으로 사료되어 임참사관의 일시귀국을 건의함. 끝

(대사 현홍주-장관)

예고: 92.12.31 일반

미주국 미주국

PAGE 1

92.05.23 04:04

외신 2과 통제관 FK

0014

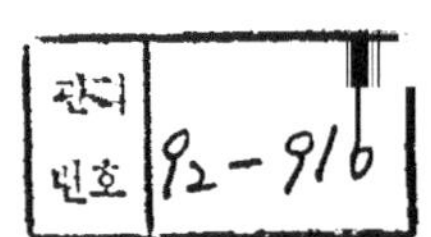

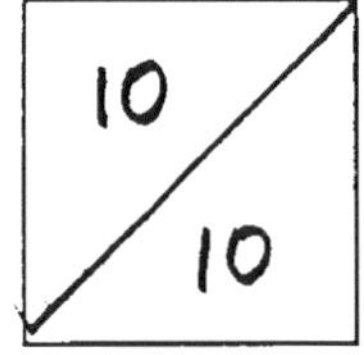

長 官 報 告 事 項

報 告 畢

1992. 5. 26.
美 洲 局
北 美 1 課(56)

題目 : Kartman 美 國務部 韓國課長 訪韓日程

> 駐韓美大使館側은 韓.美.日 實務關係者會議 參席次 5.26(火)-31(日)間 訪韓 豫定인 Charles Kartman 美 國務部 韓國課長의 日程을 通報하여 온바, 아래 報告드립니다.

1. 主要 滯韓日程

- 5.26(화) 16:55 NW 29편 착한
- 5.27(수) 주한대사관과 업무협의, 세종연구소 방문
- 5.28(목) 반기문 장관특보 조찬, 통일원 차관 면담(10:00)
  정몽준, 조순승 의원 면담
- 5.29(금) 주한미상공회의소 접촉, 대통령 외교안보수석, 정무수석 면담
  주한미군 사령관 오찬, 통상국장(15:00), 미주국장(15:45) 면담
- 5.30(토) 외교안보연구원장 예방(10:00), 오전회의, 외교안보연구원장
  주최 오찬, 오후회의, 미주국장 주최 만찬
- 5.31(일) 14:00 NW 30편 이한

2. 言論對策 : 언론에 동인 방한사실 유출시 국내정국 파악을 위한 방한으로 설명 예정. 끝.

豫 告 : 92.12.31.一般

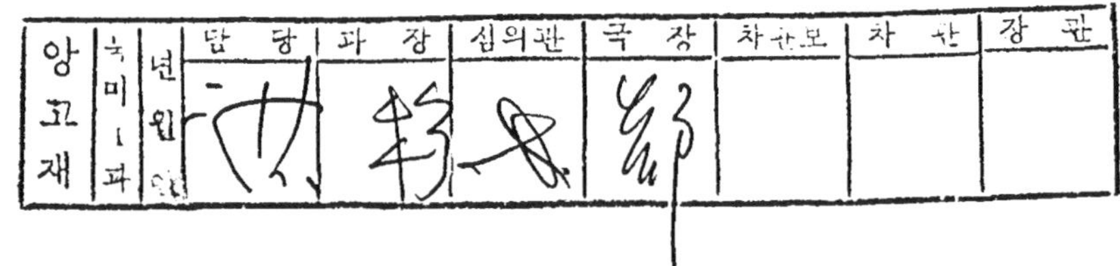

0015

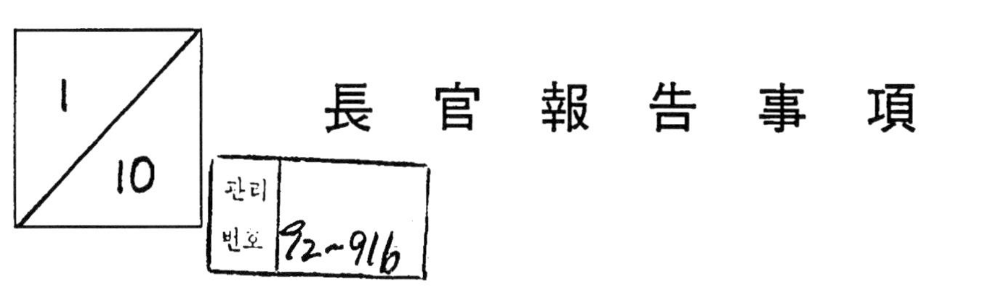

長 官 報 告 事 項

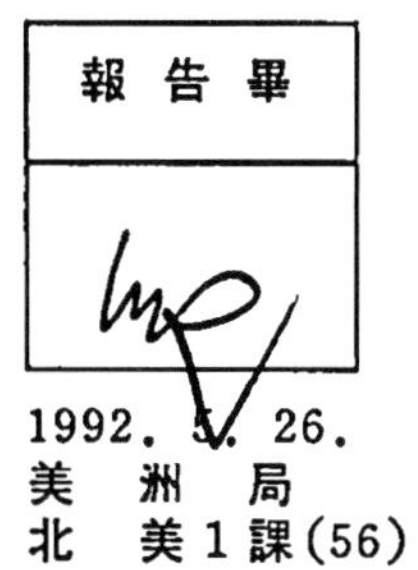

1992. 5. 26.
美 洲 局
北 美 1 課(56)

題目 : Kartman 美 國務部 韓國課長 訪韓日程

駐韓美大使館側은 韓.美.日 實務關係者會議 參席次 5.26(火)-31(日)間 訪韓 豫定인 Charles Kartman 美 國務部 韓國課長의 日程을 通報하여 온바, 아래 報告드립니다.

1. 主要 滯韓日程

- 5.26(화) 16:55 NW 29편 착한
- 5.27(수) 주한대사관과 업무협의, 세종연구소 방문
- 5.28(목) 반기문 장관특보 조찬, 통일원 차관 면담(10:00)
  정몽준, 조순승 의원 면담
- 5.29(금) 주한미상공회의소 접촉, 대통령 외교안보수석(11:00), 정무수석 면담
  주한미군 사령관 오찬, 통상국장(15:00), 미주국장(15:45) 면담
- 5.30(토) 외교안보연구원장 예방(10:00), 오전회의, 외교안보연구원장
  주최 오찬, 오후회의, 미주국장 주최 만찬
- 5.31(일) 14:00 NW 30편 이한

2. 言論對策 : 언론에 동인 방한사실 유출시 국내정국 파악을 위한 방한으로 설명 예정. 끝.

– 국내에 보도되지 않도록 할 것

豫告 : 92.12.31.一般

0016

배 포 선 (Kartman 미 국무부 한국과장 방한일정)

10 - 1	장 관
10 - 2	차 관
10 - 3	외교안보연구원장
10 - 4	제 1 차관보
10 - 5	외 정 실 장
10 - 6	청와대 (외교)
10 - 7	청와대 (국제안보)
10 - 8	청와대 (통일)
10 - 9	안기부 연락관
10 - 10/원본	북미 1 과

0017

보 도 자 료

제 목 : [illegible] 한.미.일 과장회의

1 o 한.미.일 3국 외무부의 한반도지역 정책 및 안보담당 관계관들은 5.30(토) 비공식 협의를 갖을 예정임.

2 o 동 3국 실무협의에는 한국측에서 김영목 외무부 북미1과장, 이호진 북미 2과장 외에 실무관계관이, 미국측에서는 Kartman 국무부 한국과장과 주한미 대사관 관계관이, 일본측에서는 무또 마사또시(武藤正敏) 북동아시아 과장, 도시로 오자와(小澤俊朗)안전보장과장과 주한일본대사관 관계관이 각각 참석할 예정임.

o 그간 우리정부는 특히 북한의 핵문제 등 한반도 및 지역안보를 위협하는 주요현안에 대해 미국은 물론 일본 및 기타 우방국 정부와도 긴밀히 협의해 왔음. 특히, 한.미.일 3국 정부는 북한의 핵개발 문제와 관련 현재 진행중인 IAEA에 의한 사찰 외에도 남.북한간 상호사찰이 조속 실현되어야 북한의 핵개발 의혹이 해소될 수 있다는 인식하에 긴밀히 정책보조를 취해 왔음.

북미2과장: [illegible] 장관 특보: [illegible]

앙 고 재	북미1과	92.5.28	담 당	과 장	심의관	국 장	차관보	차 관	장 관
			[signature]	[signature]	[signature]	[signature]			

0018

o 금번 실무회의에서는 현재의 동북아지역 정세 특히 북한 핵문제를 위요한 제반 정세를 평가하고, IAEA에 의한 효과적 사찰추진 지원문제, 남.북한간 조기 상호사찰 실현을 위한 외교적 협력방안을 비롯, 향후 효과적인 대북한 정책 추진을 위한 협조방안 등을 협의할 예정임. 특히 금번 회의는 실무자간의 비공식 협의로써, 5.27. 남.북한 핵통제공동위 결과에 유의, 실무차원에서의 향후 대응방안을 자유롭게 논의할 수 있을 것으로 보임.

o 동 회의참석 각국 실무대표들은 5.30(토) 회의참석 이외에 공노명 핵통제공동위 한국측 위원장을 예방하고, 정태익 미주국장 주최 만찬 등 행사에도 참석할 것임.

첨 부 : 각국 대표명단 1부. 끝.

0019

한.미.일 실무과장 회의
각국 참석자 명단

1. 한 국

o 金 永 穆 외무부 북미 1과장

o 李 浩 鎭 외무부 북미 2과장

o 이 혁 외무부 동북아1과 서기관

2. 미 국

o Charles Kartman 국무부 한국과장

o E. Mason Hendrickson 주한미대사관 참사관

o Aloysius O'Neill 주한미대사관 1등서기관

3. 일 본

o Muto Masatoshi(武藤正敏) 외무부 아시아국 동북아시아 과장

o Toshiro Ozawa(小澤俊朗) 외무부 북미국 안전보장과장

o Yamada Takio(山田滝雄) 외무부 아시아국 북동 아시아과

o Noda Hitoshi(野田 仁) 주한일본대사관 1등서기관

0020

보 도 자 료

제 목 : 한.미.일 과장회의

o 한.미.일 3국 외무부의 한반도지역 정책 및 안보담당 관계관들은 5.30(토) 비공식 협의를 갖을 예정임.

o 동 3국 실무협의에는 한국측에서 김영목 외무부 북미1과장, 이호진 북미 2과장 외에 실무관계관이, 미국측에서는 Kartman 국무부 한국과장과 주한미 대사관 관계관이, 일본측에서는 무또 마사또시(武藤正敏) 북동아시아 과장, 오자와 도시로(小澤俊朗)안전보장과장과 주한일본대사관 관계관이 각각 참석할 예정임.

o 금번 실무회의에서는 최근 동북아지역 정세에 관해 일반적인 의견을 교환할 것임.

첨 부 : 각국 대표명단 1부. 끝.

0021

한 . 미 . 일 실무과장 회의
각국 참석자 명단

1. 한 국

- o 金 永 穆 외무부 북미 1과장
- o 李 浩 鎭 외무부 북미 2과장
- o 이 혁 외무부 동북아1과 서기관

2. 미 국

- o Charles Kartman 국무부 한국과장
- o E. Mason Hendrickson 주한미대사관 참사관
- o Aloysius O'Neill 주한미대사관 1등서기관

3. 일 본

- o Muto Masatoshi(武藤正敏) 외무부 아시아국 동북아시아 과장
- o Ozawa Toshiro(小澤俊朗) 외무부 북미국 안전보장과장
- o Yamada Takio(山田滝雄) 외무부 아시아국 북동 아시아과
- o Noda Hitoshi(野田 仁) 주한일본대사관 1등서기관

0022

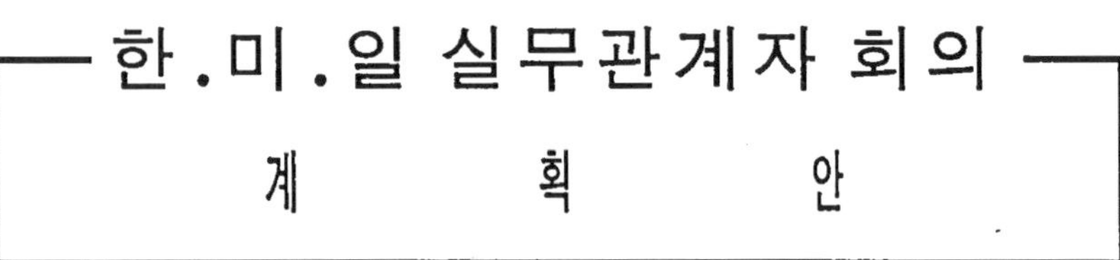

한.미.일 실무관계자 회의
계 획 안

1992. 5.

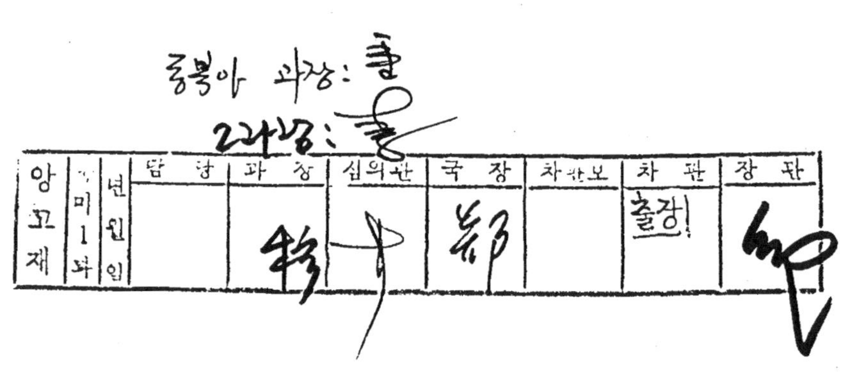

동북아 과장
과장
앙 고 재
미1과
년 월 일
담 당
과 장
심의관
국 장
차관보
차 관
출장!
장 관

미 주 국

0023

I. 회 의 개 요

1. 일시.장소

o 1992. 5. 30(토), 외교안보연구원

2. 협의 내용

o 핵문제 진전 동향 평가

o 핵문제 해결을 위한 중.단기 외교협력

o 미.북한, 일.북한관계 (북한에 대한 공동대처 방안)

3. 참 석 자

o 아 측 : 북미1과장, 북미2과장

o 미 측 : 한국과장, 주한 미대사관 관계관

o 일 측 : 북동아과장, 주한 일본대사관 관계관

0024

Ⅱ. 회의 진행 및 참고사항

1. 회의 진행

<u>5. 30.</u>

오 전 핵문제 진전동향 평가 및 중.장기 외교협력

실무오찬

오 후 대북한 정책 공동 보조

- 미.북한, 일.북한관계

만 찬 미주국장 주최

- 실무회의 참석자, 동북아1과장등 관계관

2. 참고사항

o Kartman 한국과장(5. 26. - 5. 31.간 방한)

- 5. 26. 서울도착, 주한 미대사관 및 아측 관계관과 협의

o 무또 북동아과장(5. 26. - 5. 31.간 방한)

- 5. 26. 서울도착, 한.일 통상실무협의 참석

0025

3. 언론 대책

o 가능할 경우, 금번 실무협의 개최를 대외 발표치 않음.

o 단, 국무부 한국과장과 일 외무성 북동아과장이 각각 5.26. 입국, 별개의 활동을 하게됨에 따라 언론에서 동인들이 같은 시기에 체류함을 유의할 가능성 상존

- 동 경우, 동 과장들은 각각 별개의 일정을 갖는 것으로 설명
- 단, 동 과장들의 출국 시점을 확인할 경우 3자협의 추측 가능

o 따라서 아측으로서는 필요시 각 주무국별로 동인들의 실무적 성격의 방한을 별도로 각각 설명하고 동석한 기회는 없었음을 강조함.

o 그러나, 5.27. 핵통제위 회의시 북한의 부정적 태도로 핵사찰 규정에 합의치 못하여, 한.미.일간의 강력한 공동대처 모습을 대외에 과시할 필요가 있다고 판단되는 경우에는 적절히 보도 조치함.

- 끝 -

예 고 : 1992.12.31.일반

0026

Tripartite Director-Level Talks

5.30.(Saturday)	10:00	Courtesy Call on Amb. GONG Ro Myung, Chancellor of Institute of Foreign Affairs and National Security (IFANS)
	10:15	Session I North Korea's Nuclear Weapons Capabilities and South-North Negotiations on Nuclear Issue
	12:10	Luncheon by Chancellor of IFANS at Restaurant Athens
	13:30-15:30	Session II Policy Cooperation toward North Korea
	19:00	Dinner by Mr. CHUNG Tae IK, Director-General for American Affairs Bureau at Korean Restaurant EJ

0027

Order of Discussion

1. North Korea's Nuclear Weapons Capabilities and on-going South-North dialogue on Nuclear Issue

   o Assessment on North Korea's Nuclear Weapons Capabilities

   - Existing information
   - New information disclosed by the visit of Mr. Hans Blix to North Korea

   o Assessment on South-North Negotiations at JNCC

   - Analysis of North Korea's basic position
   - Principle of reciprocity and challenge inspection regime
   - Analysis of North Korea's insistence on "implementing agreement"
   - New information and comments

   o Strategy for installing bilateral inspection regime

   - ROK's basic position
   - Whether to accommodate some of North Korea's demands

0028

2. Joint Steps in policy toward North Korea

o Joint Steps relating to IAEA Board Meeting in June

- Effectiveness and Limits of IAEA inspections

- Common tactics of allied countries in the IAEA Board Meeting

  · Emphasis on the practical need of dissipating suspicion about North Korea's nuclear program

- Expected North Korea's tactics

o ROK's Basic Policy Directions in Inter-Korean Relations

o U.S.-North Korean Relations

- Conditions for upgrading the contact to policy-level

- Missile proliferation and human rights situation

o Japan-North Korean relations

- Current normalization negotiation and its prospects

  · Importance of bilateral nuclear inspections

0029

3. Suggestion

o To consider the dissipation of nuclear suspicion through establishment of both the IAEA and bilateral inspection regime as the guiding principle in our policies toward North Korea

0030

Press guidance on the result of
Tripartite Director-level Consultations

1. Working-level officials in charge of regional and security affairs in the Foreign Ministries of ROK, US and Japan held unofficial consultation in Seoul on May 30, and exchanged their views on current situation in North-east Asia and bilateral relations among the three countries.

2. The consultation today which consisted of two sessions and working luncheon was very productive and helpful in promoting common understanding in wide spectrum of current issues.

3. Throughout the consultation the three sides focused their discussions on current South-North Korean relations, including North Korea's nuclear issue. They also touched on the broad topics of common interests in North-east Asia and other major issues of regional concerns.

0031

(In particular, the Korean side stressed that bilateral nuclear-inspection is essential to dissipiating the suspicion about North Korea's nuclear program. It also explained that the future course of its policy toward North Korea should be contingent upon whether and how North Korea implements bilateral nuclear inspections, and requested the US and Japanese counterparts to stay in the same line in their policies toward North Korea.)

4. As today's consultation was unofficial working-level one, further details would not be disclosed.

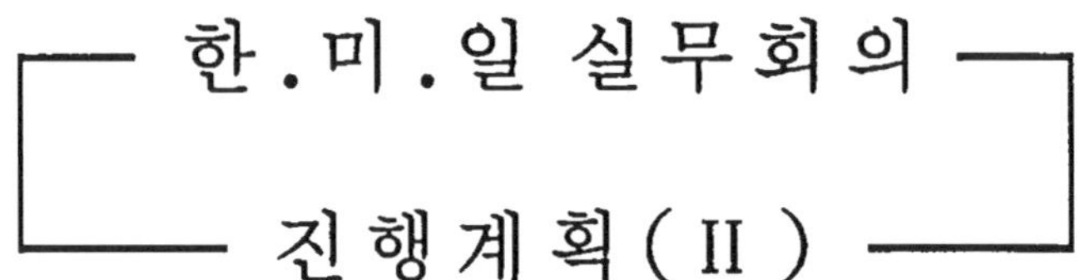

한.미.일 실무회의

진행계획(II)

92.5.29.

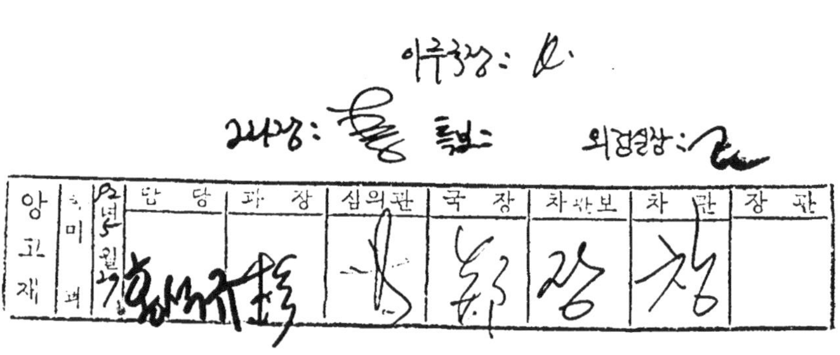

미 주 국

0033

-목 차-

0034

I. 개요 및 일정

가. 일시, 장소

* 일 시 : 92. 5. 30.(토) 10:00-
* 장 소 : 외교안보연구원 회의실

나. 참 가 자

아 측	미 측	일 측
유명환 심의관	카트만 한국과장	무또 북동아과장
김영목 북미1과장	헨드릭슨 참사관	오자와 안보과장
이호진 북미2과장	오닐 1등 서기관	야마다 북동아과
이 혁 동북아1과 서기관		노다 1등 서기관

다. 일 정

10:00	공로명 연구원장 예방
10:15	1차 회의 - 북한 핵 능력 및 남.북 핵협상 평가
12:10	연구원장 주최 오찬(아테네)
13:30	2차 회의 - 대북한 정책, 공동보조
15:30	종 료
19:00	미주국장 주최(이제이)

0035

Ⅱ. 협의 의제

1. 북한 핵 능력 및 남.북 핵협상 결과 평가

o 기존의 정보와 IAEA 방북결과에 의한 북한 핵 능력 평가

o 남.북 상호사찰 협상에 대한 평가

- 북측의 기본전략 분석
- 상호주의 및 특별사찰 제도의 실현문제
- 이행합의서 주장에 대한 분석
- 특기 관찰 사항

o 향후 남.북 상호사찰 추진을 위한 아측 대응책

- 기본 방향
- 북측 주장의 일부 수용문제

2. 대북한 정책에 있어 공동보조 필요성

o IAEA 6월 이사회 관련 대책

- IAEA 사찰의 효용성
- 이사회에서의 우방국 전략
  - 실질적 핵 의혹 해소 필요성

o 아측의 대북 관계 기본추진 방향

0036

o 미.북한 관계

- 미.북한 고위급 회담 개최의 조건
- 미사일, 인권 문제

o 일.북한 관계

- 일.북 수교교섭 현황 및 방향
  - 상호사찰의 중요성

3. 결 론

o 남.북한 상호사찰의 실시 및 사찰제도의 정착을 통한 핵 의혹 해소를 한.미.일 3국의 대북한 정책 추진의 기준으로하는 원칙합의 도출

- 한국은 본격적 경협과 연계
- 미국은 미.북한 관계 고위대화의 개시와 연계
- 일본은 일.북 수교중 하나의 조건으로 연계

Ⅲ. 언론 대책

가. 기본 대책

o 협의회 개최 사실만 발표(5.28. 기조치)

- 대북 압력 효과

0037

o 협의회 개최 현장 사진등 화면 보도는 회피

- 회의 장소 비공개

나. 사후 결과 발표 여부

o 미.일측은 협의 내용의 공개에 반대

o 특히 일측은 금번 협의가 핵문제와 관련 북한을 겨냥한 회의로 비쳐지는 것을 우려, 협의의 목적도 일반적으로 간략히 언급을 희망

o 따라서 아측으로서는 내용에 대한 사후 대언론 설명은 없는 것으로 하되, 3국 실무자간 협의를 거쳐 협의의 윤곽만 발표토록 추진

첨 부 : 협의 결과 공동 발표안

0038

한.미.일 외무부 관계 과장회의 결과 발표문(안)

1. 한.미.일 3국 외무부 실무과장들은 금 5.30.(토) 외무부에서 비공식 협의를 갖고, 동북아 정세 및 한.미.일간 상호관계에 대해 논의하였음.

2. 오늘 회의는 오전, 오후에 각 1차례의 회의 및 실무 오찬을 통해 진행되었으며, 협의는 매우 솔직하고 유용했음. 금번 협의는 제반 주요현안에 대한 3국 실무자 간의 공통된 인식을 재 확인하는데 큰 도움이 되었음.

3. 금번 협의시 3국 실무자들은 북한의 핵문제를 포함 현재의 남.북관계등 주요 관심사를 중심으로 한반도, 동북아의 안정을 위한 협력방안과 지역정책 협력 방안에 대해 논의했음.(특히, 아측은 핵의혹의 해소를 위해서는 상호사찰의 조속 실시가 관건이며, 향후 동 문제의 해결 여부를 기초로 대북정책을 추진할 것이라는 입장을 미.일측에 설명하고, 협조를 요청했음.)

4. 협의의 상세는 금번 협의가 비공식 성격의 실무협의임에 따라 관례대로 밝힐 수 없음.

- 끝 -

0039

관리번호	92-934

	분류번호	보존기간

발 신 전 보

번 호 : WUS-2539 920529 1905 CJ 종별 :

수 신 : 주 미 대사. 총영사

발 신 : 장 관 (미일, D101)

제 목 : Kartman 한국과장 면담

대 : USW - 2724

1. 방한중인 Kartman 한국과장은 금 5.29(금) 오후 미주국장을 예방하고 한.미.일 3자 실무협의에 임하는 한.미 양측의 입장을 재검토하고 필요한 협조를 하기로 하였음. 특히 미측은 상호사찰과 북한과의 관계개선의 연관성에 관해 다소 불분명한 태도를 보이고 있는 일측에 대해 한국측이 보다 분명한 입장을 보이는 것이 좋을 것이라는 의견을 보였음.

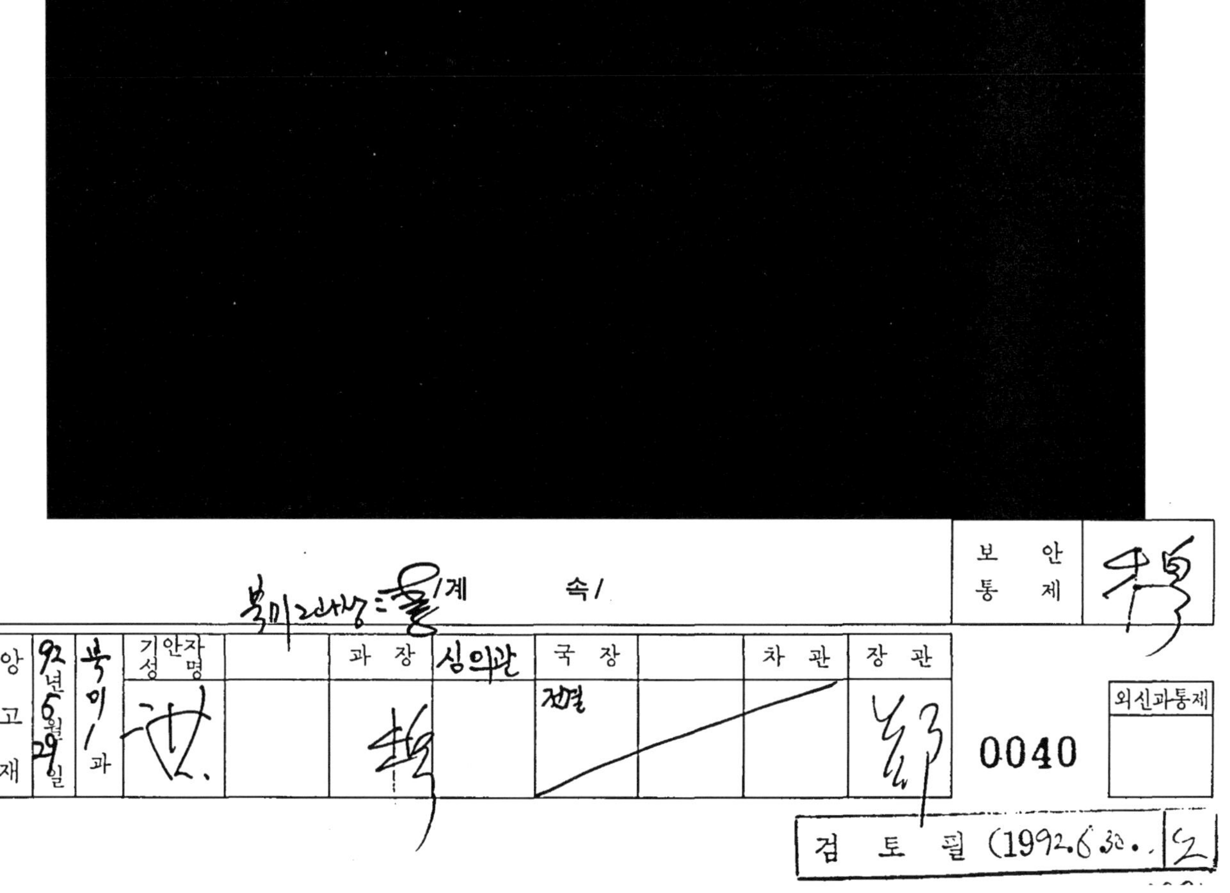

/계 속/

보안통제	

앙고재	92년 6월 29일	북미1과	기안자 성명		과 장	심의관	국 장		차 관	장 관
							전결			

0040

외신과통제

검 토 필 (1992.6.30.)

4. 우리측은 남.북한간 상호사찰 규정마련 합의시한인 5월말을 넘김에 즈음한 당부 대변인 성명을 발표할 계획임을 통보하였으며, 동 성명(안)은 확정후 귀관에도 통보 예정임.

5. 한편 한.미 양측은 금번 한.미.일 실무협의 결과 발표와 관련, 동 내용 상세를 언론에 공개치는 않으나, 동 협의를 통해 전기와 같은 상호사찰 및 대북관계에 관한 강력한 입장을 우리측이 주도적으로 미.일 양측에 설명하고, 양측의 협조를 요청하였다는 내용을 6.1(월) 상기 아측 성명 발표시 추가하기로 의견을 같이했음. 끝.

(미주국장 정 태 익)

예 고 : 92.12.31.일반

0041

공 란

공 란

공 란

공 란

공 란

공 란

공 란

공 란

공 란

공　　　　　란

공 란

공 란

공 란

공 란

공 란

공 란

공 란

공 란

공 란

공 란

공 란

공　　　　란

공　란

공 란

공 란

공　　　　란

공 란

한.미.일 외무부 관계 과장회의 결과 발표문(안)

1. 한.미.일 3국 외무부 실무과장들은 금 5.30.(토) 외무부에서 비공식 협의를 갖고, 동북아 정세 및 한.미.일간 상호관계에 대해 논의하였음.

2. 오늘 회의는 오전, 오후에 각 1차례의 회의 및 실무 오찬을 통해 진행되었으며, 협의는 매우 솔직하고 유용했음. 금번 협의는 제반 주요현안에 대한 3국 실무자간의 공통된 인식을 재 확인하는데 큰 도움이 되었음.

3. 금번 협의시 3국 실무자들은 북한의 핵문제를 포함 현재의 남.북관계등 주요 관심사를 중심으로 한반도, 동북아의 안정을 위한 협력방안과 지역정책 협력 방안에 대해 논의했음. (특히, 아측은 상호사찰의 (3국협력의 필요를 위해서는) 조속 실시가 관건이며, 향후 동 문제의 해결 여부를 기초로 대북 정책을 추진할 것이라는 입장을 미·일측에 설명하고, 양측도 동조하였음)

4. 협의의 상세는 금번 협의가 비공식 성격의 실무협의임에 따라 관례대로 밝힐 수 없음.

- 끝 -

0069

공 란

공 란

공　　란

공 란

공　　란

공 란

공 란

공 란

공　　　란

공 란

공　　　란

공 란

공　　　　　란

공 란

공 란

공 란

공 란

공 란

정 리 보 존 문 서 목 록

기록물종류	일반공문서철	등록번호	32696	등록일자	2009-02-26
분류번호	726.61	국가코드		보존기간	영구
명 칭	북한 핵문제, 1992. 전13권				
생 산 과	북미1과/북미2과	생산년도	1992~1992	담당그룹	
권 차 명	V.5 6월				
내용목차	* 북한 핵관련 대책, 한.미국간 협의, 미국의 사찰과정 참여 요구 등				

0001

공 란

공　　　란

공 란

공 란

공 란

공 란

공　　란

공 란

공　　란

공 란

공　　　　란

공　　란

공 란

공　　　　란

관리번호 92-722

Ronald Lehman 미군축처장
면 담 자 료

1992. 6. 1 (월) 17:00

검토필(1992. 6. 30.)

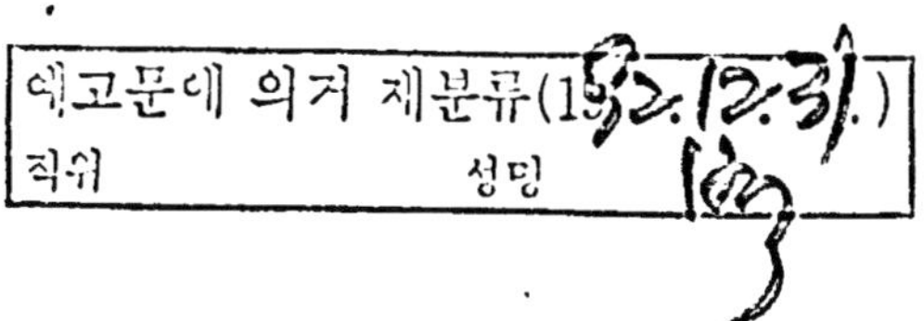
예고문에 의거 재분류(1992.12.31.)
직위 성명

미 주 국

0016

1. 방한 개요 및 일정

o 방한기간 : 5. 31 ~ 6. 3

o 방한목적

- 북한연구소 및 연세대학교 사회과학연구소 공동 주최 한반도 군축세미나 참석

o 방한중 활동내용

- 6.1(월) 한.미 오찬 협의 참석(아측은 공로명 원장 주재)

- 국방장관, 청와대 외교안보수석등 예방

2. 인적 사항

- 생년월일 : 1946. 3. 25.

- 학 력

1968 Claremont Men's College (B.A.)

1969 Claremont Graduate School (M.A.)

1975 Claremont Graduate School (Ph.D.)

- 경 력

1982 ~ 83	국방부 전략정책 부차관보
1983 ~ 86	대통령 국가안보담당 특별보좌관
1986 ~ 88	대소련 전략핵무기 협상대표
1988 ~ 89	국방부 국제안보담당차관
1989 ~ 현재	군축처장

공　　란

공 란

공　　란

공 란

공 란

공 란

공 란

공 란

공 란

공　　란

공 란

공 란

공 란

공　　　란

공 란

공　　　란

관리번호	92-703

원 본

사본: 북미2과

외 무 부

종 별 :

번 호 : USW-2767 일 시 : 92 0601 1849

수 신 : 장 관 (미일)

발 신 : 주 미 대사

제 목 : KANTER 차관 면담

본직은 6.4(목) KANTER 차관과 면담 예정인바, 금번 면담이 동 차관 방한후첫 접촉임에 비추어 동 면담시 특별히 협의 요망사항이 있으면 지급 회시바람. 끝.

(대사 현홍주-국장)

예고: 92.12.31. 일반

검토필(1992. 6. 30.)

예고문에 의거 재분류(1992.12.31.)
직위 성명

미주국 장관 차관 1차보 청와대 안기부

PAGE 1

92.06.02 08:23

외신 2과 통제관 BX

0034

공 란

공 란

공　　란

공　　란

공 란

공 란

공　　　란

공　란

공 란

공 란

공 란

공 란

공 란

공 란

_협조 바랍니다
92. 6. 2 (화) 10:00 이후 보도

남북고위급회담 대변인 성명

1992. 6. 2 10:00

남북 쌍방은 지난 2월 평양에서 개최된 제6차 남북 고위급회담에서「남북사이의 화해와 불가침 및 교류·협력에 관한 합의서」(약칭 「기본합의서」) 와 「한반도의 비핵화에 관한 공동선언」(약칭 「비핵화 공동선언」) 이라는 두건의 역사적 합의문서를 발효시킴으로써 남북간에 오랜 불신과 대결의 시대를 청산하고 화해와 협력의 새 시대를 열어 나갈 것을 7천만 겨레와 온 세계앞에 엄숙히 약속하였습니다.

남북 쌍방은 이들 합의서에 의거하여 그동안 정치·군사·교류협력 등 3개 분과위원회와 핵통제공동위원회를 구성·운영중에 있고 5월에는 연락사무소와 군사·경제·사회문화 분야의 공동위원회등 합의사항 이행기구들을 구성·발족시켰으며 3개 분과위원회에서는 오는 9월까지 기본합의서 합의사항들의 구체적 이행·준수 대책을 담게 될 부속합의서를 마련하는 작업이 진행중에 있습니다.

1

0049

따라서 지금의 시점은 남북 쌍방의 책임있는 당국간에 진지한 협의를 진행시켜 기본합의서를 이행·준수하는데 필요한 구체적 대책을 마련하고 이를 토대로 부속합의서들을 만드는데 모든 역량을 기우려야 할 때인 것입니다.

그러나 바로 이러한 중요한 시점에 남북고위급회담의 한쪽 당사자인 북한측이 기본합의서의 정신과 내용을 외면하고 남북관계의 원만한 진전을 가로막는 일련의 행위를 저지름으로써 회담의 전도와 남북관계 전반에 대한 내외의 우려를 자아내고 있습니다.

이미 알려진 바와같이 북한측은 최근 휴전선 비무장지대 남측지역안으로 무장병력을 침투시키고 이 사건이 우리측에 의한 「자작극」이라는 억지선전을 전개하는가 하면 정전협정에 대한 중대한 위반행위인 이 사건을 다루기 위하여 군사정전위원회 본회의를 개최하자는 유엔군 사령부의 정당한 요구를 거부하고 있습니다.

2

0050

북한측은 또 「기본합의서」가 발효되고 남북고위급회담이 진행중임에도 불구하고 고위급회담의 테두리밖에서 이른바 「범청학련」의 결성과 「범민족대회」의 개최를 추진하는등 「기본합의서」에도 위배되고 남북관계에는 새로운 긴장을 초래하는 행위들을 계속하고 있습니다.

뿐만 아니라 북한측은 지난 3월이래「개별합작」이라는 명목으로 우리측의 여러 기업들에게 많은 방북초청장을 보내오는 등 우리내부의 경쟁과 혼란을 유발함으로써 「기본합의서」에 따른 질서있는 경제교류와 협력을 어렵게 하고 있습니다.

남북고위급회담 남측대표단은 이러한 북한측의 「기본합의서」에 어긋나는 일련의 사태에 주목하면서 다음과 같이 북한측의 그릇된 자세와 입장의 즉각적인 시정을 요구합니다.

첫째로 지난 5.22 북한측에 의하여 저질러진 비무장지대 무장병력 침투사건은 「기본합의서」제 5조의「군사정전협정 준수」조항에 대한 난폭한 위반입니다.

따라서 이같은 군사정전협정 위반사건은 당연히 군사정전위원회에서 그 진상을 규명하고 책임자를 가려내어 처벌하며 재발방지대책을 강구해야 합니다.

그러므로 북한측은 지체없이 유엔군 사령부측의 군사정전위원회 본회의 개최 요구에 호응하여야 합니다.

둘째로 「기본합의서」가 남북간의 책임있는 당국간에 합의되고 발효된 이 마당에 남북간에 일어나는 모든 문제는 마땅히 쌍방의 책임있는 당국간에 협의와 합의를 통하여 해결되어야 할 것입니다.

따라서 쌍방 당국간에 합의는 물론 아무런 협의도 없이 북한측에 의하여 일방적으로 추진되고 있는 이른바 「범청학련」결성 움직임과 「범민족대회」의 추진은 즉각 중지되어야 합니다.

세째로 남북 쌍방은 교류·협력분과위원회에 이어 경제교류·협력공동위원회를 발족시켰을 뿐아니라 경제분야에서 쌍방간의 구체적 교류·협력의 실현을 위하여 부속합의서를 작성하는 일을 진행시키고 있습니다.

따라서 남북간의 경제분야에서의 교류·협력은 우선 조속히 해당분야 부속합의서를 만들고 이에 의거하여 질서있게 추진하는 것이 올바른 순서이며 그에 앞서 시급히 추진해야할 일이 있다면 교류·협력분과위원회나 고위급회담 석상에서 공식으로 거론하여 합의를 모색 하여야 할 것입니다.

따라서 북한측이 이러한 절차를 밟지 않고 우리측 기업들을 상대로 이른바「개별합작」을 추진하는 행위는 즉각 중지되어야 합니다.

네째로 북한측은 유감스럽게도 핵통제공동위원회에서 전혀 현실성을 결여한 일방적인 주장으로 남북간에 합의된 시한안에 사찰규정을 마련하는 것을 불가능 하게 만듬으로써 남북간에「비핵화 공동선언」에 의거한 상호사찰이 실시될 수 있는 길을 가로막고 있습니다.

우리는 북한측이 남북한 7천만 겨레는 물론 전세계의 심각한 우려의 대상이 되어 있는 핵무기 개발 의혹을 해소함으로써 남북관계의 개선이 이루어질 수 있게 하기 위하여 하루 속히 완전한 사찰규정을 마련하는데 호응해 나설 것을 촉구합니다.

5

0053

북한측은 핵문제의 근원적인 해결이 없이는 남북관계의 실질적인 개선을 기대할 수 없으며 나아가 북한이 당면하고 있는 대내·대외의 어떠한 문제도 해결이 용이치 않으리라는 사실을 직시하여야 할 것입니다.

우리는 북한의 책임있는 당국이 「기본합의서」와 「비핵화 공동선언」의 성실한 이행과 준수를 통하여 남북간에 화해와 협력의 새 시대를 열어 나갈 것을 갈망하는 온 겨레의 염원에 부응하여 최근 보여주고 있는 부당한 자세와 입장을 조속히 시정할 것을 다시 한번 촉구하며 앞으로 이에 관한 북한측의 태도를 예의 주시할 것입니다.

PRESS RELEASE

KOREAN OVERSEAS INFORMATION SERVICE

Foreign News Division
Seoul, Korea
Phone: 720-4728, 2396
FAX: 733-2237

copy : 2.71

June 2, 1992

STATEMENT BY THE SPOKESMAN FOR THE SOUTHERN DELEGATION TO THE SOUTH-NORTH HIGH-LEVEL TALKS

At the Sixth Round of South-North High-Level Talks held in Seoul last February, both parties brought two historic documents, namely, the Agreement on Reconciliation, Nonaggression, and Exchanges and Cooperation (the Basic Agreement) and the Joint Declaration of the Denuclearization of the Korean Peninsula (the Joint Declaration of Denuclearization) into force. In that way, both sides solemnly vowed before the 70 million Korean people and the world to end longstanding mistrust and confrontation and open a new era of reconciliation and cooperation.

Pursuant to these two agreements, the South and the North have since established and put into operation three South-North committees in the political, military, and exchanges and cooperation fields and also a Joint Nuclear Control Commission. In May, both sides established such additional mechanisms for implementing the accords as South-North Liaison Offices, a Joint Military Commission, a Joint Commission for Economic Exchanges and Cooperation and yet another Joint Commission for Social and Cultural Exchanges and Cooperation. The three South-North committees are in the process of working out detailed protocols on the implementation of the terms of the Basic Agreement.

Accordingly, now is the time for the responsible authorities of both sides to devote their all to earnest discussions with the aim of drawing up protocols setting out concrete steps for implementing the Basic Agreement.

And yet, North Korea has turned its back on the spirit and letter of the Basic Agreement at this critical juncture and is perpetrating a series of acts that is blocking the smooth progress of South-North relations. This is giving rise to domestic and international concern about the prospects for South-North talks and overall intra-Korean relations.

As is widely known, the North recently infiltrated armed troops into the southern sector of the Demilitarized Zone established to ensure compliance with the Korean War Armistice. And yet, they call this incident a "show stage-managed by the South" in a far-fetched propaganda offensive. Furthermore, they have rejected, without any justifiable reason, the rightful demand of the United Nations Command that a plenary meeting of the Military Armistice Commission be convened to deal with this incident, which is a grave violation of the Armistice Agreement.

Even though the Basic Agreement has entered into force and the South-North High-Level Talks are in progress, the North is trying to organize Pomchonghangnyon (the Pan-National Alliance of Youth and Students for Unification) and a pan-national rally outside the framework of the official talks. They thus continue to behave in a way that not only impinges on the Basic Agreement but also creates new South-North tensions.

In addition, since March of this year, the North has issued invitations to many southern businesses to visit there with the aim of sparking excessive competition and confusion in our business community, thereby making it difficult to conduct orderly economic exchanges and cooperation in accordance with the Basic Agreement.

Taking note of this series of North Korean transgressions of the Basic Agreement, the southern delegation to the South-North High-Level Talks urges the northern side to promptly correct the following wrong stances and positions.

First, it must be pointed out that, on May 22, when it infiltrated armed troops into the Demilitarized Zone, the North flagrantly violated Article 5 of the Basic Agreement requiring compliance with the Armistice Agreement. Accordingly, the truth of this transgression must be thoroughly investigated by the Military Armistice Commission, and those responsible for it ferreted out and punished and other appropriate steps taken to prevent any repeat of such an incident. The northern side must, therefore, immediately accept the demand of the United Nations Command to convene a plenary meeting of the MAC.

Second, now that the Basic Agreement was duly signed and has been brought into force by the responsible authorities of the South and the North, all issues arising between the South and the North ought to be resolved through consultation and agreement between the responsible authorities. Accordingly, the move to establish the Pan-National Alliance of Youth and Students for Unification and to organize a pan-national rally in the South without agreement or consultation with our responsible authorities must be immediately ceased.

Third, the South-North Joint Commission for Economic Exchanges and Cooperation was established following the formation of the South-North Exchanges and Cooperation Committee which is now in the process of working out a protocol spelling out concrete procedures for economic exchanges and cooperation. Therefore, it is only proper for both sides to promptly work out such a protocol so that economic exchanges and cooperation can take place in an orderly fashion. However, if, in the meantime, there is any urgent issue that needs to be tackled, it should be discussed either at the South-North Exchanges and Cooperation Committee or at the High-Level Talks. Thus the North's moves to promote "individual joint ventures" with southern businesses without going through such proper procedures should be immediately ceased.

Fourth, the North has regrettably refused to work out regulations to govern mutual nuclear inspections within the deadline agreed to by both sides. Instead, at the fifth South-North Joint Nuclear Control Commission meeting on May 27, 1992, they made unrealistic and unilateral demands, thus blocking the way for mutual nuclear inspections in accordance with the Joint Declaration of Denuclearization. We strongly urge the North to join the South in efforts to work out nuclear inspection regulations as soon as possible to improve South-North relations and remove the serious concern of not only the 70 million Korean compatriots but the whole world. Without fundamental settlement of the nuclear issue there can hardly be any substantial improvement in relations. Furthermore, failure to effectively dispose of this issue will be a serious obstacle to the North's efforts to address internal and external problems.

We once again urge the responsible authorities of the North to sincerely implement the Basic Agreement and the Joint Declaration of Denuclearization by first promptly addressing the nuclear issue, so as to open a new era of intra-Korean reconciliation and cooperation, the ardent desire of the entire Korean people. The South will be closely watching the attitude of the North in the days ahead.

관리 번호	92-962

원 본

외 무 부

종 별 :

번 호 : USW-2789 일 시 : 92 0602 1700

수 신 : 장관(미일,미이)

발 신 : 주미대사

제 목 : NSC 보좌관 면담

본직은 금 6.2 NSC PAAL 아주담당선임보좌관과 면담, 북한 핵문제와 관련한한. 미간 협조 방안에 관하여 의견교환한바 요지 아래 보고함(당관 임성준 참사관, NSC PATTERSON 보좌관배석)

1. 본직은 금번 일시귀국 기회를 통하여 대통령을 비롯한 우리정부 요로에 대하여 북한 핵문제 해결방안에 관한 미행정부, 의회, 언로론등 미국조야의시각을 상세히 보고한바있으며, 특히 유효한 남북 상호사찰 제도가 수립되지않는한 남. 북한 관계는 물론 미.북관계에 진전이 있을수없다는 확고한 입장에 대하여 노대통령도 전적으로 동감을 표시한바있다고 설명하였음. 이어 본직은 우리정부 관계자들 모두가 현재까지 한. 미간에 충분한 협의를 거쳐 추진해온 우리의대북 핵문제에 관한 전략이 매우 중효하고 있으며, 그와같은 방햐으로 계속밀고 나가야한다는데 일치하고있으며 현재 북한에서 실시되고있는 IAEA 사찰만 가지고는 결코 만족할수는 엊다는 입장에 추후도 변함이없음을 확인할수있었다고 말하였음.

2. 상기관련 본직은 지난주말 서울에서 개최된 한. 미.일 실무급 협의시에도 북한 핵문제해결에 가장 중요한 3 국이 공동보조를 계속 취해나가기로 다짐한것은 매우 유익한 일이었다고 평가한후 현재 엘친 대통령이 방미를 앞두고 미.러간에 협의중인 북한 핵문제 관련 공동발표문 작성에 관심을 표시하면서, 아측으로서도 북한 핵문제 해결이 지지부진한 최근의 분위기에 비추어서도 미.러 양대통령이 남북한 상호사찰의 필요성을 강조하는 내용의 공동선언을 발표하게 되면 북한에 대하여 강력한 멧세지가 될것임을 강조하였음.

3. 이에 대하여 PAAL 보좌관은 북한 핵문제 대처와 관련한 한. 미간 협조체제 에 만족을 표시하고 엘친 대통령 방미에 따른 미.러 공동발표문에 관하여는 이미 러시아측 초안을 전달받았으며 미.러 정상회담에서도 북한 핵문제가 협의될것임에는

미주국 장관 차관 1차보 미주국 분석관 청와대 안기부

0060

PAGE 1 92.06.03 08:08

외신 2과 통제관 BX

블림없으나 공동발표문 문제는 표현의 방식과 전반적인 발표문 구성문제등을 염두에 두고 검토중에 있다고 밝혔음.

4.PAAL 보좌관은 최근의 한. 일관계 동향에 관심을 표명하면서, 미측으로서는 아시아의 가장 중요한 미국의 동맹국인 한. 일 양국이 긴밀한 협력관계를 유지하는것을 매우 중요하게 생각하고있다고 말하고 신임 CLARK 동아태 차관보가 부임하는 것을 계기로 한, 미.일 3 국의 지역담당 국장 또는 차관보급 인사들이 회동하여 3 각협력관계를 도모하면서 아시아 정세전반에 관한 협의를 갖는것이 좋겠다는 의견을 피력하였음.

본건에 관하여는 미측이 입장을 구체적으로 정리하여 추후 연락할것이라고 말하였음. 끝

(대사 현홍주-국장)

예고: 92.12.31 일반

0061

공 란

공　　　란

공 란

공 란

공 란

報告畢
(서명)

1992. 6. 3.
外交政策企劃室
特殊政策課(50)

報 告 事 項

題 目 : "남북한과 미국의 새로운 삼각관계"에 관한 학술세미나

한국국제정치학회(회장 이범준 교수)가 6.1-2간 개최한 "남북한과 미국의 새로운 삼각관계" 제하의 학술세미나의 주요결과를 하기 보고드립니다.

1. 주요 발표 논문 요지

가. "동아시아 안보에 대한 미국의 입장" (Alan D. Romberg : 미 외교협회 연구원)

o 소련의 붕괴로 세계적 힘의 재조정이 이루어지고 있는 시점에서 미국은 특히 아시아에서 질서재편의 필요성 인식
  - 기존의 양자관계 강화와 병행하여 하기 방안 고려 가능
    . 전세계적 세력균형자 또는 조정자 역할 강화
    . 유럽안보협력회의와 유사한 아시아안보협력회의(CSCA) 수립
    . 일본의 정치경제적 역할확대통한 새로운 체제 수립
    . 위상이 강화된 중국의 중추적 임무 수행 유도

o 특히 미국의 대한반도 정책은 대남관계를 우선 고려하고, 대북 관계에서 선핵사찰-후관계 개선 원칙을 고수하면서 북한의 개방 및 개혁을 유도해야 함.

o 남한은 핵문제를 남북관계의 기본전제로 삼는 사고에서 탈피, 핵문제 해결과 경제.문화교류를 병행시켜야 함.

나. "북한의 IAEA 핵사찰 수락 이후 한국의 선택"

(Larry A. Niksch : 미의회 입법조사국 동아시아 연구관)

o 북한이 핵개발 의지가 없다는 평가보다는 핵무기 개발을 계속할 의지를 갖고 있다는 분석이 더 설득적
  - 작년 KGB 보고자료에 의하면, 북한은 핵물질과 핵기폭 장치를 이미 보유.

0067

o 북한의 핵개발 문제에 대한 남한의 3가지 선택 방안
  - 남북대화유지보다 특별사찰제도 관철에 주력하는 방안(T/S 훈련재개나 전술핵 재배치 고려가능)
  - 우방국들의 지원을 받아 정치적으로 해결하는 방안
  - 미국주도로 G-7과 공동보조하여 대북 경제제재를 가하는 방안
o 남북한 직접 협상통한 핵문제 해결이 가장 바람직함.

다. "신세계질서와 미국의 대한반도 정책" (Mel Gurtov : 포틀랜드 주립대학 교수)
o 동아시아에서 「2 + 4」 의 다자간 경제.안보구조 정립이 한국의 안보 및 통일에 기여
o 북한군전력의 전방 집중배치구조 조정과 연계한 주한 미군 추가 감축은 한반도 신뢰구축의 단기적 방법의 하나
  - 미국은 북한의 APEC 등 지역경제기구 참여를 지원하여 지역사회의 일원이 되도록 유도할 필요

라. 기타 : 안병준 교수(연세대), 고병철 교수(일리노이대)등 한국학자도 논문발표

2. 관 찰

o 금번 세미나는 최대이슈가 되어 있는 북한의 핵개발의 의지와 능력 및 대응에 관한 논쟁이 많았음. (많은 학자들이 북한의 원폭보유 가능성 (1-2개 정도) 에 대해 지적)
o 미국의 두 학자가 유럽의 CSCE와 유사한 지역안보협력체제를 동아시아에서도 운영 가능하다고 지적한 것이 특징적임.
o 통일후 한반도에 미군 주둔의 필요성에 대해, 통일된 자주 독립국가로서 미군주둔은 더이상 필요없다는 주장과 동아시아의 안정을 위해 최소한 미지상군 주둔은 필요하다는 입장이 대립됨.

3. 관련조치 및 언론대책 : 해당사항 없음. 끝.

0068

공　　　란

공 란

長 官 報 告 事 項

報 告 畢

1992. 6. 4.
北 美 2 課 (40)

題 目 : 한반도 핵문제 관련 세미나 논문 요지

한반도 핵문제 및 군축 관련 세미나가 92. 5. 25. 미 Georgetown 大에서 개최 되었는 바, 동 세미나에서 발표된 논문중 Leonard S. Spector 카네기재단 연구원의 논문('The US and the Nuclear Issue') 요지를 아래 보고드립니다.

1. 북한의 핵 능력

   o 시설 및 기술 측면

     - 비록 초보적이긴 하지만 핵무기개발에 필요한 최소한의 시설과 기술 보유 확실

   o 실제 핵무기 또는 weapons-usable 플루토늄 보유 여부

     - 이에 대한 해답은 5MW 원자로의 1986년부터 현재까지의 가동량에 달려 있음.
     - 북한은 상기 원자로의 성능이 나빠 간헐적으로만 가동하였다고 주장하나, 만약 그것이 거짓일 경우 많은 양의 사용후 핵연료가 발생했을 것이고, 북한은 이를 소규모 비밀 시설에서 재처리 하였을 지도 모름.
     - 따라서 진행중인 IAEA 임시사찰의 주안점은 상기 원자로의 운전 기록 (operating history)을 철저히 조사하는 것임.

2. IAEA 특별사찰의 문제점

   o IAEA의 거증책임 (cause for a probc)

     - IAEA가 특별사찰을 실시하기 위하여는 미신고 시설 또는 물질 존재 여부에 대해 증거를 제시해야 함.

0071 반특보:7월

— 1 —

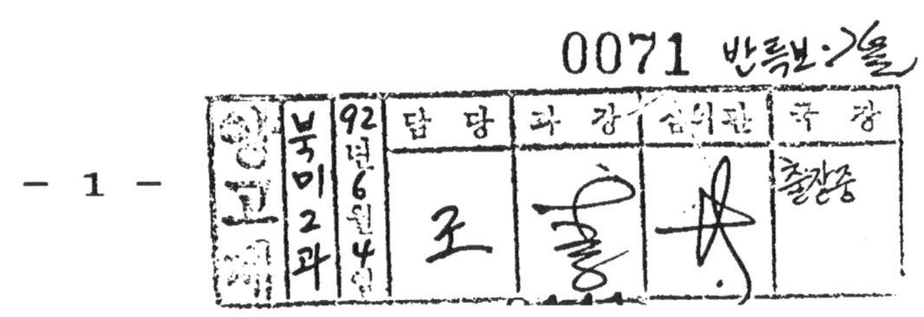

o 시간적 gap

- 특별사찰 실시 결정과 시행 사이에 시간적 gap이 생겨 피사찰국이 사찰 대상을 은닉할 가능성이 있음.

o 특별사찰 실시에 대한 정치적 어려움(political threshold)

- 특별사찰 실시에 대한 IAEA 회원국간 공감대 형성과 피사찰국을 설득해야 하는 부담

o 피사찰국의 거부 가능성

- 피사찰국이 특별사찰을 거부할 경우 이 문제를 유엔 안보리에 회부할 수 있으나, 안보리 결의 도출의 어려움 및 피사찰국에 대해 사찰 대상을 은닉할 수 있는 시간적 여유 제공 가능

3. 남.북한간 상호사찰의 중요성

o 상기 IAEA 사찰의 미비점 보완

- 거증책임이 없고, 제도화되어 있으며, 사찰 통보와 실시 사이의 시차가 적음(no-cause, annual, short-notice)

o 국제기구(multilateral organisation)와 같은 제3자에 의존하지 않고 당사국이 직접 사찰함으로써 상호 신뢰 구축에 기여

o challenge inspection은 남한뿐만 아니라 북한에게도 핵무기 부재의 확신(assurance)을 제공

o 군사기지에 대한 사찰은 남북 상호간 군사력에 대한 투명성(transparency)을 제공하여 긴장 완화에 도움

4. 한반도 핵문제에 있어서의 미국의 목표

o 북한의 IAEA 사찰(특별사찰 포함) 수용

o 북한의 재처리시설 불보유

o 남북상호사찰 실현

- 끝 -

2

長 官 報 告 事 項

報 告 畢
(signature)

1992. 6. 4.
北 美 2 課 (40)

題 目 : 한반도 핵문제 관련 세미나 논문 요지

> 한반도 핵문제 및 군축 관련 세미나가 92. 5. 25. 미 Georgetown 大에서 개최되었는 바, 동 세미나에서 발표된 논문중 Leonard S. Spector 카네기재단 연구원의 논문("The US and the Nuclear Issue") 요지를 아래 보고드립니다.

1. 북한의 핵 능력

   o 시설 및 기술 측면

   - 비록 초보적이긴 하지만 핵무기개발에 필요한 최소한의 시설과 기술 보유 확실

   o 실제 핵무기 또는 weapons-usable 플루토늄 보유 여부

   - 이에 대한 해답은 5MW 원자로의 1986년부터 현재까지의 가동량에 달려 있음.
   - 북한은 상기 원자로의 성능이 나빠 간헐적으로만 가동하였다고 주장하나, 만약 그것이 거짓일 경우 많은 양의 사용후 핵연료가 발생했을 것이고, 북한은 이를 소규모 비밀 시설에서 재처리 하였을 지도 모름.
   - 따라서 진행중인 IAEA 임시사찰의 주안점은 상기 원자로의 운전 기록 (operating history)을 철저히 조사하는 것임.

2. IAEA 특별사찰의 문제점

   o IAEA의 거증책임 (cause for a probe)

   - IAEA가 특별사찰을 실시하기 위하여는 미신고 시설 또는 물질 존재 여부에 대해 증거를 제시해야 함.

o 시간적 gap

- 특별사찰 실시 결정과 시행 사이에 시간적 gap이 생겨 피사찰국이 사찰 대상을 은닉할 가능성이 있음.

o 특별사찰 실시에 대한 정치적 어려움(political threshold)

- 특별사찰 실시에 대한 IAEA 회원국간 공감대 형성과 피사찰국을 설득해야 하는 부담

o 피사찰국의 거부 가능성

- 피사찰국이 특별사찰을 거부할 경우 이 문제를 유엔 안보리에 회부할 수 있으나, 안보리 결의 도출의 어려움 및 피사찰국에 대해 사찰 대상을 은닉할 수 있는 시간적 여유 제공 가능

3. 남.북한간 상호사찰의 중요성

o 상기 IAEA 사찰의 미비점 보완

- 거증책임이 없고, 제도화되어 있으며, 사찰 통보와 실시 사이의 시차가 적음(no-cause, annual, short-notice)

o 국제기구(multilateral organisation)와 같은 제3자에 의존하지 않고 당사국이 직접 사찰함으로써 상호 신뢰 구축에 기여

o challenge inspection은 남한뿐만 아니라 북한에게도 핵무기 부재의 확신 (assurance)을 제공

o 군사기지에 대한 사찰은 남북 상호간 군사력에 대한 투명성(transparency)을 제공하여 긴장 완화에 도움

4. 한반도 핵문제에 있어서의 미국의 목표

o 북한의 IAEA 사찰(특별사찰 포함) 수용

o 북한의 재처리시설 불보유

o 남북상호사찰 실현

- 끝 -

The New York Times
1992. 6. 4. 木, A23

North Korea's Bomb

By Gary Milhollin

WASHINGTON

The North Koreans are on the verge of making the bomb, and seven international inspectors are in Pyongyang this week belatedly trying to stop them. If they fail, North Korea will go nuclear, South Korea will feel the pressure to follow and so will Japan. A nuclear-armed Asia will be the price the world pays.

North Korea now has enough nuclear weapon material for six to eight atomic bombs. This is the conclusion of U.S. intelligence analysts, who have watched a small reactor operate for four years at Yongbyon, 60 miles north of Pyongyang. Each year, the analysts say, the reactor has created about two bombs' worth of plutonium.

But Hans Blix, the inspectors' boss at the International Atomic Energy Agency, is loath to believe it. He seems to prefer North Korea's line, which is that the reactor has virtually failed to operate. He also seems to believe that North Korea's dictator, Kim Il Sung, only wants reactors for making electricity, not nuclear weapons.

But what do the inspectors think? If they believe what the U.S. analysts say, they must push North Korea until they find the plutonium, or prove that U.S. intelligence is wrong. If they believe the North Koreans, they may face another Iraq, where they totally missed Saddam Hussein's bomb program by inspecting only what he declared.

The North Koreans, who in April bent to U.S. and Japanese pressure to let the inspectors in, have told incredible stories about their nuclear past. They say the small reactor didn't work when they started it up in 1987, so they have run it only sporadically. This contradicts U.S. observations, which show continuous operation at high power. In addition, North Korea is busy building two larger reactors exactly like the small one.

The inspectors shouldn't be fooled.

The Government in Pyongyang says it wants the reactors to produce electric power, but no transmission lines are visible. The reactors also use a graphite design, which is inefficient for power and used almost exclusively to make bombs. In January, Robert Gates, the Director of Central Intelligence, said the reactors' "sole purpose is to make plutonium."

North Korea is also lying about plutonium extraction. To prepare plutonium for use in a bomb, it must first be extracted from discharged reactor fuel. The North Koreans have built an extraction plant the size of an aircraft carrier, big enough to handle all three reactors' plutonium fuel. Calling this monster plant a "laboratory," they assure Mr. Blix that it is not ready to operate. But North Korea probably wouldn't have built it without a successful prototype, and U.S. analysts fear that the prototype, still hidden, could already have extracted enough plutonium for bombs.

The inspectors' job is to penetrate the smoke screen. They have the means to do so. They can trace the small reactor's operating history by analyzing its internal parts. They can do the same for the reactor's fuel. They can then draw their own conclusions about how much plutonium the reactor has made. If their conclusions match the observations of U.S. intelligence, they can ask North Korea to hand over the plutonium.

Suppose North Korea refuses? It will then breach the Nuclear Nonproliferation Treaty and be subject to U.N. sanctions. Will the inspectors have the courage to push things this far? If they don't, they will lose what credibility they have left. They cannot afford another inspection disaster.

Global security may ride on the outcome. The cash-strapped North Koreans sell everything they make. In 1987, their first batch of Scud missiles was shipped to Iran, which paid all the development costs. A subsequent batch went to Syria in 1991. Libya, too, has been a buyer and financer of North Korean Scuds. If foreign money is also behind the nuclear program — which seems likely — the world could soon see the first black-market sales of renegade-made atomic bombs, or the plutonium to fuel them. Libyan or Iranian bombs could then be smuggled into Washington or New York. □

Gary Milhollin is director of the Wisconsin Project on Nuclear Arms Control.

0075

연합

"IAEA의 북한 핵사찰에는 한계 있다"

前美 유럽군축회담 수석대표 주장

(워싱턴=聯合) 박정찬특파원=IAEA(국제원자력기구)의 핵사찰 만으로 북한의 핵개발 의혹을 해결하기는 어려우며 최악의 시나리오를 가상해 남북한 핵 동시사찰이 이루어져야 한다고 제임스 굿비 前 유럽군축회담 美수석대표가 4일 강조했다.

굿비대사는 이날 워싱턴 군축협의회가 주최한 "북한과 핵확산금지"라는 토론회에 참석, 이같이 주장하고 " IAEA의 사찰에 너무 많은 것을 기대할수 없다"면서 미국의 현 對북한 핵문제 정책은 적절하다고 평가했다.

이날 토론회에서 최근 북한을 다녀온 카네기재단의 레너드 스펙터 연구원은 북한이 우라늄 채광, 정련, 핵연료 제조, 원자로, 재처리 시설등 핵무기 개발에 필요한 기술축적을 이미 갖추고 있음이 확인됐다고 말하고 북한이 재처리 시설을 갖추고 있는 것이 사실이며 북한이 플루토늄 생산량을 속이고 있는지는 불확실하다고 주장했다.

그는 이어 한스 블릭스 IAEA 사무총장이 북한에서 관찰한 재처리 시설이 설치중에 있는 것인지 이미 설치됐던 것을 떼어내고 있는 것이었는지는 알수 없는 상태라고 말하고 IAEA의 특별사찰은 회원국 설득에 따른 정치적 문제, 실시결정과 시행사이의 시차, 사찰거부 가능성 때문에 문제가 있으므로 남북한 상호사찰이 무엇보다 중요하다고 설명했다.

그러나 마이론 크레처 IAEA 협정 美고섭대표는 IAEA의 사찰에 한계가 있는 것은 사실이지만 다른 핵살사찰도 완벽할수 없다고 주장하고 북한이 핵안전협정에 서명하고 보고서를 예정보다 앞당겨 제출하는 조치등은 긍정적으로 평가돼야 한다고 말했다.(끝)

0076

233 87u
^^BC-US-Korea Nuclear,055=
^U.S. Experts Suggest U.N[illegible]anctions to Force North [illegible]an Nuclear Compliance<
^With BC-North Korea-Nuclear<
^By GENE KRAMER=
^Associated Press Writer=

WASHINGTON (AP) _ U.S. experts skeptical of North Korea's renunciation of atomic weapons said Thursday it could take United Nations sanctions to force the communist regime to submit to inspections and give up its nuclear plans.

But one specialist said the West should prepare for better relations with one of the world's last hard-line communist governments. And new evidence obtained by international inspectors from North Korea suggests that Pyongyang is a long way from producing a nuclear bomb.

Gary Milhollin, director of the Wisconsin Project on Nuclear Arms Control, said in a statement distributed Thursday that U.N. inspectors now in North Korea should be able to locate enough undeclared plutonium to fuel between 6 and 13 bombs the size of the one that the United States dropped on Nagasaki, Japan, in 1945.

This conclusion comes from various published and leaked estimates of U.S. intelligence monitoring of an alleged processing operation at Yongbyon, north of Pyongyang, Milhollin said in an article discussed at a news conference sponsored by the Arms Control Association, a U.S. private nonpartisan organization.

Milhollin urged the U. N. International Atomic Energy Administration break with its traditional policy of confidentiality about inspections.

''If the inspectors are not satisfied with North Korean cooperation, they should publicly protest ... the world would then rally behind the inspectors and force North Korea to fulfill its obligations,'' he said in the statement.

Inspectors should demand that the communist government hand over the plutonium, and if North Korea refuses, it will be in violation of the Non-Proliferation Treaty and subject to sanctions, said Milhollin.

Current inspections by the U.N. International Atomic Energy Agency (IAEA) ''will not resolve all of the doubts about what North Korea is up to,'' said James Goodby, former U.S. ambassador to the European disarmament conference, who appeared at the news conference.

''There will be ambiguities about North Korea in the nuclear field for some time to come,'' he predicted.

But Goodby said growing evidence indicates that with the demise of its Soviet ally, North Korea may be acquiescing to widespread demands that it give up any plans to build atomic weapons.

Goodby advised that the United States and Japan be prepared to deliver on promises of better relations and trade in ''a policy of carrots as well as sticks.''

It is up to the United States, Japan and other concerned governments to feed their best information to the IAEA and request special inspections when necessary, said Arm Control Association President Spurgeon M. Keeny at the news conference.

If a suspect country such as North Korea refuses, it becomes a matter for the U.N. Security Council, Keeny added.

At IAEA headquarters in Vienna, Austria, spokesman David Kyd said Thursday a videotape supplied by North Korea indicates the Pyongyang government is still years away from producing a nuclear bomb.

Kyd said, however, the footage was inadequate for a conclusive analysis of the country's nuclear capability.

He said the tape shows buildings and equipment at the Yongbyon nuclear center and was made during a recent visit to North Korea by Hans Blix, the U.N. agency's director general. Kyd gave no details of findings during the current inspection by a seven-member IAEA team.

6

0077

a1789ALL r
r-w BC-KOREA-USA-(SC[illegible]ULED, 04-06 0675
BC-KOREA-USA-(SCHEDULED,-NEWS-ANALYSIS)
CONCERNS PERSIST ABOUT NORTH KOREA NUCLEAR PROGRAMME
By Carol Giacomo

WASHINGTON, June 4, Reuter - The United States and private experts remain deeply concerned about North Korea's nuclear programme despite recent unprecedented steps by Pyongyang to open its facilities to international inspection.

Inspectors from the International Atomic Energy Agency (IAEA), which is blamed for not detecting in advance Iraq's aggressive weapons programme, are in North Korea trying to uncover as much as possible about Pyongyang's capabilities and intentions.

But a senior U.S. official told Reuters while this review is important "it will not assuage our concerns" and Washington will continue to press North Korea to also allow "challenge" inspections by South Korea.

The South Korea inspections, which unlike the IAEA review are intended to occur on short-notice and hence give North Korea less time to try to cover up its activities, are considered essential to an effective inspection regime.

"Until they are prepared to do that there is no there there," said the official, meaning the United States would not move substantionally to improve ties with North Korea.

The two countries do not have diplomatic relations and North Korea, with its primitive economy, is believed to be desperate for foreign investment and assistance.

The United States believes North Korea hopes that IAEA inspections would suffice.

"Before they make further commitments to the South, which they undoubtedly view as intrusive and threatening, they'll see how far they can get towards their political and economic objectives by going along with just the IAEA inspections," the senior U.S. official said.

North Korea, for four decades one of the world's most closed societies, recently allowed a delegation from the Carnegie Endowment for International Peace, a Washington think tank, and IAEA Director General Hans Blix to visit the country and view nuclear-related facilities ahead of the IAEA teams.

"I think somewhat perversely the results of those two encounters has been to raise (U.S.) concerns" because they confirmed North Korea was building a large-scale facility at Yongbyon for making plutonium from spent nuclear fuel, the senior U.S. official said.

"The good news is that Yongbyon is not complete...it is a shell of a building and has substantial ways to go. In a sense that is reassuring because frankly we could not have said that" before Blix made his trip, the official added.

Such comments and a Washington Post report on Thursday describing a video recording of Blix's visit as showing an "extremely primitive" facility at Yongbyon suggested initial U.S. concerns about North Korea's programme may have been overblown.

0078

Last February, CIA Director Robert Gates told a House committee North Korea was "a few months to as much as a couple of years" from producing a nuclear weapon. In March, he told another panel the reprocessing plant was "nearly completed."

But a CIA official told Reuters the agency considered the IAEA findings preliminary, had not discarded the worst case scenario and believed the North Koreans may have moved some equipment out of the Yongbyon facility ahead of the visit.

Gary Milhollin of the Wisconsin Project on Nuclear Arms Control, another doubter, wrote in the New York Times on Thursday that North Korea is "on the verge of making the bomb" and said if the IAEA inspectors fail to stop it, "a nuclear-armed Asia will be the price the world pays."

Spurgeon Kenney of the research group, Arms Control Association, told a news conference North Korea's willingness to allow the West to examine its nuclear facilities and to sign an agreement declaring plans for a nuclear-free Korean peninsula was a "remarkable triumph for the non-proliferation regime."

But Carnegie's Leonard Spector, who visited North Korea, declared himself "more of an agnostic."

It is clear Pyongyang has the indigenous capability to build a nuclear weapon but whether it actually possesses a bomb now is uncertain, he said.

REUTER CG JAS BEH

0079

공　　란

공 란

공　　　란

원 본

외 무 부

종 별 :

번 호 : USW-2865 일 시 : 92 0604 1911

수 신 : 장 관 (미이,미일,국기,정특)

발 신 : 주 미 대사

제 목 : 북한 핵관계 세미나

연: USW-2699

1. 금 6.2. 당지 ARMS CONTROL ASSOCIATION 이주관하는 북한 핵문제 세미나 (NORTH KOREA ANDNUCLEAR NONPROLIFERATION) 가 개최되었음.

2. 주요 참석자의 발표 요지를 하기 보고함.

가. SPECTER (카네기 재단 연구원)

- 북한이 IAEA 사찰을 받아들이고 있다고 해서 북한 핵문제에 대해 너무 낙관하는 것은 금물임.

- 이어서 연호와 같은 내용으로 남.북 상호사찰의 중요성 강조

나. KRATZER (IAEA 핵안전 협정채택 당시 미측수석대표)

- 핵안전조치 (SAFEGUARDS) 의 원래 취지는 1)검증 (VERIFY), 2) 저지 (DETER), 및 3) 색출 (DETECT) 의 세가지였음.

- IAEA 는 국제기구이고, 사찰의 대상이 주권국가인 만큼 IAEA 사찰이 완벽할 수는 없으나, IAEA 는 나름대로 유효한 제도라고 확신함.

- 북한은 시한보다 훨씬 일찍 최초 보고서를 제출한바, 이는 바람직한 신호 (GOOD SIGN) 라고 생각함.

다. GOODBY 대사

- 북한에 관한한은 대부분 최악의 씨나리오 (THE WORST CASE SCENARIO) 가 현실화 하였음을 유념해야함.

- 현재 IAEA 사찰과 관련 발전이 많았으나 IAEA 사찰이 모든 의혹을 제거해 주리라고 기대하는 것은 무리임.

- 북한 핵문제에 대한 미국의 정책은 대개올 바른 방향이었던 것으로 생각되나, 일정시점에 가서는 제개 (STICK) 는 물론이고 유인책 (CARROT) 도 병행해야 한다고봄.

미주국 미주국 국기국 외정실 분석관

0083

PAGE 1

92.06.05 09:32 GW

외신 1과 통제관 ✓

- (핵문제가 너무 부각되어 북한이 이를 정치적으로 이용, 실리를 취하고 있다는 STANFORD 대 LEWIS교수발언을 인용한 질문에 대하여) 미국이 양보하였다는 것은 전술핵 철수와 92년 팀.스피리트 훈련 연기인바, (1) 전술핵은 한국에서만 철수한 것이 아니 고, (2) 팀.스피리트훈련은 언제라고 재개될 수 있는 것임.

- 상호사찰 실시를 위한 한국의 노력은 정당한것이며, 미국은 이를 지원해야함.

3. 관찰및 평가

- 금일 세미나에는 JAMEA LENOARD 대사, 국무부 SAMORE 보좌관, NUCLEAR CONTROL INSTITUTE 의 PAUL LEVENTHAL 회장, 언론등 비확산 문제를 다루는 전문가들이 약 40명 참석하였음.

- ARMS CONTROL ASSOCIATION 의 KEENY 회장 (주재)및 KRATZER 가 북한의 IAEA 사찰을 긍정적으로 평가한 반면, SPECTOR 연구원, GOODBY 대사등이 상호사찰의 필요성을 설득력있게 설명하였음.끝.

(대사 현홍주-국장)

공 란

공　　　란

공 란

한 겨 레 (6.5.)

"북한시설 핵폭탄 제조엔 못미쳐"

원자력기구 공보국장

【빈=AP 연합 특약】 한스 블릭스 국제원자력기구(IAEA) 사무총장이 북한을 방문했을 때 북한이 촬영해 제공한 녹화테이프는 북한이 핵폭탄을 생산하기에는 여러해 뒤처져 있음을 나타내고 있다고 이 기구의 데이비드 키드 공보국장이 4일 밝혔다.

키드 공보국장은 "녹화테이프는 동력을 생산하는 5메가와트짜리 원자로와 우리가 판단하기에 40% 정도 완성된 방사화학실험실, 그리고 완성되려면 최소한 3~4년이 걸릴 건설중인 2개의 원자로를 보여주고 있다"고 말했다.

키드 국장은 "우리는 지금 판단을 내리려 하지 않는다"고 전제하면서 "지금 우리가 말할 수 있는 것은 북한이 보여주는 시설들이 매우 발전된 것이라고는 믿을 수 없다는 것"이라고 말했다.

한편 〈워싱턴포스트〉는 이날 북한의 핵시설이 핵무기 제조에 필요한 플루토늄 생산단계에는 훨씬 못미치는 상태에 있다고 키드 국장의 말을 빌려 보도하면서 그동안 대부분의 언론이 미 정부 관리들이 제공하는 추정치 가운데 '최악의 경우'만을 집중적으로 보도해왔다고 미 행정부의 한 고위관리가 말한 것으로 전했다.

0088

공 란

공　　란

공 란

외 무 부

종 별 :

번 호 : USW-2893 일 시 : 92 0605 1945

수 신 : 장 관 (해신,미일,문홍,기정)

발 신 : 주미대사 사본: 주오지리대사(중계필)

제 목 : W.P. 북한 핵관련 사설 게재

1. 6.5(금)자 W.P 는 ' THE STAKES IN N. KOREA'제하로 북한의 핵시설에 대한 IAEA 사찰만으로는 북한의 핵무기 개발 여부를 밝혀내는데 한계가 있으며, 북한이 전체주의체제를 고수하는한 계속해서 위협이 될 것일라는 요지의 사설을 게재한바 전문 아래 보고함.

- 북한의 핵시설에 대한 최초의 국제적 방문은 북한의 핵무기 개발의도와 능력에 대해 일부 새로운 불확실성을 조성했으며 당면한 최초의공식사찰에 대해 긴박성을 더 해주고 있음.

- 최초의 공식사찰을 계기로 제기되는 문제는 일부 전문가들의 의심처럼 북한이중대한 기만술책을 벌리고 있다는 단순한 사실만은아님. 그보다 더 큰 위험은 핵문제의 이단자를 단속하기 위해 설치된 국제적인 체재가 (북한과같은) 기술적으로 용이주도하고 확신범인 정부에의해 악용되어 무혐의라는 오류를 초래하도록이용당할수있다는 것임.

- 이문제는 지난 5월 중순 HANS BLIX IAEA사무총장이 영변소재 북한의 핵시설을방문한데서 부터 제기된 것임. BLIX 사무총장은 북한의 거듭된 부인에도 불구하고 핵무기에 사용될 수 있는 플루토늄을 제조할 수 있는 핵연료 재처리 시설이 건설중에 있으며, 북한이 이미 약간의 플루토늄을 생산했음을확인했음. 음모와 폭력과 배반과 기만 을 일삼아온 공산주의 북한의 과거 행적으로 보아 이같은 사실은 국제적인 경각심을 불러일으키기에 충분했음.

- 그러나 아직 파악할 것들이 많이 있음. 분석가들사이에는 북한의 핵개발 수준을 어떻게볼것이냐에 대해 견해의 차이가 있음. 북한은핵폭탄 제조 능력면에서 기술적인 깊이가 본질적으로 별로 없다는 견해가 있는가 하면반대로 성공적인 무기계획을추진할 만큼 고도의하이테크 능력을 이미 보유하고 있다는 견해임.이문제는 북한이언제쯤

공보저 1차보 미주국 문협국 외연원 외정실 분석관 청와대 안기부

0092

PAGE 1 92.06.06 11:04 BD

외신 1과 통제관 ✓

핵폭탄을 제조할 수있느냐는 자주 거론된 일정상의 논란보다 훨씬심각한 문제임.

- 평양정권을 어떻게 볼것인가라는시각면에서도 견해의 차이가 있음. 일부분석가들은 평양정권을 구제불능의 이단내지는철저한 고립체제로 보고 있고 다른 견해는유인외교에 의해 정상적인 세계로 점진적으로 끌어낼수 있는 정권으로 보고 있음. 예컨데 국제사회에서 받아들이는 대가로 핵개발을 저지시킬수 있다는 생각으로 현재미국과 일본,한국이 접근을 시도하고 있음.

- 영변에서 조만간 실시될 IAEA 의 전면적인사찰은 이를 보다 명확히 하는데 도움을 줄수있을 것임. 그러나 북한이 이곳에서 무엇을 하고있는지 설득력있게 설명이 되고 북한의 조치를 차단할수 있더라도, 북한이 진짜 핵시설은 계속은폐하면서 전시용으로 건설한 핵시설만을공개했을 것이라는 가능성은 계속 남게됨. 요컨대 국제적 안전장치의 불가피한 한계를 드러내는 것임. 전체주의 국가 북한은 언제나 엄연한 위협인 것임. 국제적인 핵확산방지정책의 절차를 가능한한 최대한 추진할필요는 있음.그러나 이러한 절차가 지닌 한계도인식할 필요가 있음.

2. 동 사설 원문 별건 FAX 송부함.끝.

첨부: USW(F)-3660.

(공보공사-해공관장)

주 미 대 사 관

USR(F) : 3626 년월일 : 92.6.5. 시간 : 09:00

수 신 : 장 관 (미일, 미이, 정독, 정안)

발 신 : 주 미 대 사

제 목 : 북한핵

보 안 통 제	

(출처 : THE WASHINGTON POST A30 FRIDAY, JUNE 5, 1992

The Stakes in North Korea

THE FIRST international visit to a North Korean nuclear facility has produced some new uncertainty about Korean weapons intentions and capabilities and has given extra urgency to an imminent first formal inspection. What is at stake is not simply whether, as some experts suspect, North Korea is engaged in a grave episode of cheating. The further peril would be that the international system constructed to police nuclear miscreants can be used and exploited by a determined and technologically adept government to convey a false all-clear.

The trouble arises from a mid-May visit to the formerly secret North Korean nuclear plant at Yongbyon by Hans Blix, director of the International Atomic Energy Association. He found that, notwithstanding repeated North Korean denials, a plant is being built to reprocess nuclear fuel into plutonium usable in nuclear arms, and it has already produced some of this substance. Communist North Korea's record of secrecy, violence, treachery and deceit make this discovery cause for international alarm.

But much remains to be known. Among the analysts there remains one set of differences over whether to regard North Korea as still essentially out of its technological depth in trying to build a bomb or as in fact possessing the high-tech capability to carry off a successful weapons project. This issue cuts considerably deeper than the familiar question of the timetable on which North Korea might develop a bomb. There is another set of differences over whether to regard Pyongyang as a regime that is permanently deviant and self-isolated or one that can gradually be drawn into regularity by the diplomacy of enticement—trading off a bomb for international acceptance—as the United States, Japan and South Korea are now attempting.

At Yongbyon, a full IAEA inspection, which is coming, may help bring some further clarity. But even if does show that whatever North Korea is doing at that place can be safely explained and contained, the possibility lingers that the country has simply opened up the nuclear plant it built for show, while it continues to conceal the plant it built for business. In short, international safeguards can only bring so much comfort. As long as North Korea remains a totalitarian state, it will remain a menace. It is necessary to push the procedures of international nonproliferation policy as far as they can go. But it is also necessary to realize their political limitations.

(3626 - 1 - 1)

외신 1과 통 제	

0094

공 란

국제해양 92.6.8 (IHT)

The North Korean Threat

The first international visit to a North Korean nuclear facility has produced new uncertainty about Korean weapons intentions and capabilities and has given extra urgency to an imminent first formal inspection. What is at stake is not simply whether North Korea is engaged in a grave episode of cheating. The further peril is that the international system constructed to police nuclear miscreants can be used and exploited by a determined and technologically adept government to convey a false all-clear.

The trouble arises from a mid-May visit to the formerly secret North Korean nuclear plant at Yongbyon by Hans Blix, director of the International Atomic Energy Agency. He found that a plant is being built to reprocess nuclear fuel into plutonium usable in nuclear arms, and it has already produced some of this substance. North Korea's record of secrecy, violence, treachery and deceit make this discovery cause for international alarm.

But much remains to be known. Analysts differ on whether North Korea possesses the high-tech capability to carry off a successful weapons project. This issue cuts deeper than the question of how soon North Korea might develop a bomb. There are also differences over whether to regard Pyongyang as a regime that is permanently deviant and self-isolated or one that can be drawn into regularity by the diplomacy of enticement — trading off a bomb for international acceptance — as the United States, Japan and South Korea are now attempting.

At Yongbyon, a full IAEA inspection, which is coming, may bring further clarity. But even if it does show that whatever North Korea is doing there can be safely explained and contained, the possibility lingers that the country has simply opened up the nuclear plant it built for show, while continuing to conceal the plant it built for business. In short, international safeguards can only bring so much comfort. As long as North Korea remains a totalitarian state, it will remain a menace. It is necessary to push the procedures of international nonproliferation policy as far as they can go. But it is also necessary to realize their political limitations.

— *THE WASHINGTON POST.*

(IHT) 92.6.8

Korea Nuclear Facility Called 'Primitive'

By Don Oberdorfer
Washington Post Service

WASHINGTON — A video recording of a visit by international nuclear experts to a formerly secret nuclear installation in North Korea suggests that the facility is far from ready to produce enough plutonium to make atomic weapons, according to International Atomic Energy Agency officials.

David Kyd, information director of the organization, which is based in Vienna, said by telephone that the video shows an "extremely primitive" facility that was visited in mid-May by the energy agency director-general, Hans Blix, and accompanying nuclear experts. The video, supplied by North Korea as a visual record of Mr. Blix's visit, shows the inside of a structure, about the length of two football fields, which the North Koreans called a "laboratory" for making plutonium from spent nuclear fuel and which appears a long way from being finished, Mr. Kyd said.

Energy agency experts said the equipment in the building, which has been the subject of intense interest and speculation for U.S. and other intelligence agencies, is no more than 40 percent complete. U.S. intelligence has been observing construction of the reprocessing plant — a key facility in a nuclear-weapons program — with growing apprehension for at least four years.

The CIA director, Robert M. Gates, testified before the House Foreign Affairs Committee on Feb. 25 that North Korea was "a few months to as much as a couple of years" from producing a nuclear weapon. A month later, on March 27, Mr. Gates told the House Armed Services Committee that the North Korean reprocessing plant was "nearly completed" and that "we believe Pyongyang is close, perhaps very close, to having a nuclear-weapon capability."

Such intelligence reports had provided the basis for increasingly tough U.S. warnings to North Korea and an emerging atmosphere of crisis. Wednesday, a senior administration official defended the earlier U.S. intelligence data, saying that the "intelligence was admittedly vague" and that most news reporting about it had focused on the "worst case" side of the range of estimates provided by officials.

0096

공 란

공 란

공 란

공　란

9

원 본

외 무 부

종 별 :

번 호 : USW-2898 일 시 : 92 0608 1716

수 신 : 장관(미이,미일,국기,정특)

발 신 : 주미대사

제 목 : 북한 핵개발

1. 금 6.8 국무부 브리핑시 북한에 대한 핵기술제공 문제에 대한 질의.응답이 있었는 바, 그요지를 하기 보고함.

(질문)

. 제23차 참사관급 접촉에서 미국이 북한에 대해 경수로를 제공하는 것을 조건으로 북한이 재처리를 포기하겠다는 보도가 있었음.

. 이러한 보도에 논평할 수 있는 지?

(답변)

. 북경 접촉의 내용은 공개하지 않고 있음.

. 미국의 입장은 북한은 재처리 시설을 필요로 하지 않는 다는 것이며, 남.북한은 재처리 시설을 금지한 바 있음.

. 북한이 행정책과 관행을 국제기준과 법에 순응시키게 되면 북한은 보다 발전된 에너지기술에 접근할 수 있는 가능성이 있을 것임.

. 이와관련, 북한은 1985년 쏘련과 4개의 원자로건설을 계약하였으나, 북한이 IAEA 핵안전협정을 이행하지 않아 쏘련이 동 계약이행을 지연시킨바도 있음을 지적하고자 함.

2. 상기 질의.응답 전문을 FAX 송부함.(USWF-3702)

(대사 현홍주-국장)

미주국 1차보 미주국 국기국 외정실 분석관 안기부

0101

PAGE 1 92.06.09 07:15 DQ

외신 1과 통제관

06/08/92 17:49 ☎202 797 0595 EMBASSY OF KOREA --- WOIMUBU ☑001

USW(F) : 3702 년월일 : 시간 :

수 신 : 장 관 (미이, 미실, 국기, 정특)

발 신 : 주 미 대 사

제 목 : USW-2858의 첨부물

보 안	
통 제	

(출처 : 7.N.S.)

STATE DEPARTMENT REGULAR BRIEFING BRIEFER: MARGARET TUTWILER
12:22 PM EDT MONDAY, JUNE 8, 1992

Q There are reports that in the 23rd meeting, working level meeting, between the United States and North Korea, the United States -- North Korea has -- it is known that North Korea has offered to give up the plutonium reprocessing facility on the condition that US could install a light water nuclear reactor. Do you have any comment for that report? Or is it -- or could you confirm that kind of offer of the North Korean side to the United States?

MS. TUTWILER: I think I understand your question; correct me if I do not. The first part of your question concerns our meetings

that we have in Beijing, which you know we do not ever discuss what we've discussed at those meetings.

The second part of your question, I believe, has to do with plutonium production in North Korea. Is that correct? It is our position that North Korea has no legitimate need for plutonium reprocessing facilities, possession of which is prohibited by the joint agreement on a non-nuclear Korea between North and South Korea. As North Korea brings its nuclear policies and practices in line with international norms and treaty obligations, there is the potential to better access to more advanced energy technologies. It should be noted that North Korea contracted with the Soviet Union for four modern reactors in 1985, but the Soviets held up the deal because North Korea had not implemented an IAEA safeguards agreement.

Q So you are denying the reports that North Korea offered to give up the plutonium facilities on the condition that United States could give light water nuclear reactor in Bejing talks?

MS. TUTWILER: I'm not aware of the report that you're referring to. And if it's a report about a meeting that we attended in Beijing,

we do not discuss the substance of those talks, and I really have nothing else on our views of North Korea's plutonium production.

3702-1-1

0102

9/1

관리번호	92-335

외 무 부

종 별 :

번 호 : USW-2927 일 시 : 92 0609 1832

수 신 : 장관(미일,미이,동구일,정안)

발 신 : 주 미 대사

제 목 : 미.러 정상회담

1. 당관 박흥신 서기관은 금 6.9 국무부 CIS 과 SILLIMAN 담당관을 면담, 옐친 러시아 대통령의 미국 국빈 방문관련 사항을 파악한 바, 요지 아래 보고함.

가. 주요일정

. 방문기간:6.15(월)-18(수)

. 일정 :

6.16(화) 오전 도착행사 및 정상회담

오찬 BAKER 국무장관 주최

오후 알링턴 국립묘지참배

2 차 정상회담

저녁 국빈만찬

6.17(수) 오전 QUAYLE 부통령 면담

미 기업인과의 간담회(대러시아 기업진출관련)

미의회 상하원 합동회의 연설

오찬 미의회 지도자 주최

오후 MT. VERNON 방문

16:30 각종합의서 서명식(백악관) 및 기자회견

만찬 주 미 러시아 대사관 주최 (부쉬 대통령 참석여부 미정)

6.18(목) 09:00 캔사스주 WITCHITA 향발

15:30 카나다 향발

나. 주요의제

1) 공동성명 발표

. 북한 핵문제, 사이프러스, 유고, 쿠바, POW/MIA, 어업문제등에 관한 공동성명

미주국 장관 차관 1차보 미주국 구주국 외정실 분석관 청와대
안기부

0103

PAGE 1 92.06.10 08:42
외신 2과 통제관 BX

발표 추진중

2) 협정서명

. 외교관 여행규제 철폐협정(상금문안 교섭중), 평화봉사단 파견협정, 마약단속 협력 협정, 투자협정 및 조세협정등 서명 추진

. OPIC 협정 비준서 교환

. 과학기술 협력관련 합의서 또는 공동성명 발표 추진

3) 군축.안보협력 문제

. 핵무기 추가감축 협의

. 대미사일 방공협력 문제 협의

2. SILLIMAN 담당관은 미.러 정상회담시 협의될 사항중 가장 중요한 의제는군축및 안보협력 문제로서 6.8-9 간의 미.러 외상회담에서 가장 집중적으로 협의되었다고 언급함. 본건, 군축담당 관계관 접촉후 추보하겠음.

(대사 현홍주-국장)

공 란

공 란

공 란

공 란

공 란

공　란

공　　　란

공 란

관리번호	92c1009

원 본

외 무 부

종 별 : 지 급

번 호 : USW-2962　　　　일 시 : 92 0611 1712

수 신 : 장관(미일,미이,동구일,국기)

발 신 : 주 미 대사

제 목 : 북한 핵문제

당관 임성준 참사관은 금 6.11(목) 오전 국무부 KARTMAN 한국과장을 면담, 북한 핵문제등에 관하여 협의한 바 아래 요지 보고함.

1. 미.러 정상회담 발표문(연: USW-2885)

. KARTMAN 과장은 미.러 양측은 연호 미측초안을 토대로 교섭한 결과 별첨과 같은 문안을 마련하였는바, 이에대해 미측은 최종 동의를 하였으며, 러시아측은 본부(MOSCOW)의 동의를 기다리고 있으나 거의 동 문안대로 합의될 것으로 생각한다고 밝혔음.

2. 차기 JNCC 회의 일자 및 미국의 대북 멧세지

. KARTMAN 과장은 주한대사관을 통하여 아측이 차기 JNCC 회의 일자를 6.30로 제의할 것이라는 보고를 접하였다고 말하고, 미측은 당초 계획대로 내중 IAEA 이사회 결과를 보고 적절한 시점에서 대북 멧세지를 전달할 예정임에 비추어아측이 JNCC 차기 회의 일자 제의시 이점을 감안해 줄 것을 요청하였으며, 6.30제의에 이의 없음을 시사하였음.

. 임참사관은 KANTER 차관서한 형식의 대북멧세지의 작성현황 및 전달시기에 관하여 문의하였던 바, KARTMAN 과장은 지난주 메세지 내용 구성에 관한 내부협의를 일차 가졌으며 현재에도 부서간 협의를 계속 진행중에 있다고 밝히고 따라서 메세지 전달시기도 결정되지 않았다고 말하였음.

3. BLIX 사무총장의 비공식 브리핑(대: WUS-2733)

. 임참사관은 작 6.10 BLIX 사무총장의 방북관련 비공식 브리핑에 대한 미측의 평가를 문의하였던 바, 동 과장은 아직까지 비엔나로 부터 상세한 보고를 접하지 못하였다고 말하였음.(임참사관은 대호 요지에 따라 브리핑 내용을 설명하여 주었음.)

. 임참사관은 상기 브리핑 내용에 관하여 아국 언론들이 큰 관심을 가지고

미주국	장관	차관	1차보	미주국	구주국	국기국	분석관	청와대
안기부								

0113

PAGE 1　　　　92.06.12 07:39

외신 2과 통제관 BN

검 토 필 (1992.6.30.)

보도하고 있을 뿐아니라, 미측에 대하여 논평을 요구할 것으로 예상된다고 말하였던 바, 동 과장은 미측으로서는 기존입장에 추가하여 논평할 것이 없다는 반응을 보였음.

(대사 현홍주-국장)

예고: 일반 92.12.31.

(첨부)

DRAFT JOINT RUSSIA-U.S. STATEMENT ON KOREAN NUCLEAR PROLIFERATION

RUSSIA AND THE UNITED STATES, SUPPORTING THE EFFORSTS BY THE INTERNATIONAL COMMUNITY TO COUNTER THE PROLIFERATION OF NUCLEAR WEAPONS, NOTE THE POSITIVE CHANGES IN STRENGTHENING THE NUCLEAR NON-PROLIFERATION REGIME IN KOREA. THEY APPLAUD THE NORTH-SOUTH JOINT DECLARATION ON THE DENUCLEARIZATION OF THE KOREAN PENINSULA OF DECEMBER 31, 1991 AND CALL FOR THE FULL IMPLEMENTATION OF THIS AGREEMENT WHICH WILL MAKE AN ESSENTIAL CONTRIBUTION TO STRENGTHENING REGIONAL PEACE AND SECURITY AND TO RECONCILIATION AND STABILITY ON THE KOREAN PENINSULA.

,, THE SIDES WELCOME DPRK RATIFICATION OF THE SAFEGUARDS AGREEMENT WITH THE IAEA AND ENCOURAGE FURTHER COOPERATION WITH THE AGENCY IN PALCING ITS NUCLEAR FACILITIES UNDER APPROPRIATE SAFEGUARDS. FULL COMPLIANCE BY THE DPRK WITH ITS OBLIGATIONS UNDER THE NPT AND THE JOINT DECLARATION, INCLUDING IAEA SAFEGUARDS AS WELL AS CREDIBLE AND EFFECTIVE BILATERAL NUCLEAR INSPECTIONS, WILL MAKE POSSIBLE THE FULL RESOLUTION OF INTERNATIONAL CONCERNS OVER THE NUCLEAR PROBLEM ON THE KOREAN PENINSULA. 끝

PAGE 2

0114

주 미 대 사 관

사 본

USW(F) : 3826 년월일 : 92.6.12 시간 : 09:00

수 신 : 장 관 (미일.이이.정특.정안)

발 신 : 주 미 대 사

제 목 : 북한핵사찰

보 안 통 제	

The Washington Times
FRIDAY, JUNE 12, 1992 / PAGE A9

N. Korea seeks deal on nuclear technology

TOKYO (Reuters) — North Korea is ready to abandon its plans to reprocess plutonium if the West and Japan offer technology assistance for nuclear power plants, Japanese press reports said yesterday.

In an interview with Kyodo news agency, Li Chol, North Korea's ambassador to Switzerland, said Pyongyang is ready to stop working on technology to extract plutonium from spent fuel from its nuclear reactors if Japan agrees to provide it with know-how on light-water reactors and uranium enrichment.

Kyodo said it was the first time that a senior North Korean government official had made such an offer.

Plutonium is a key component of a nuclear bomb.

Mr. Li said the North Korean government had made the offer in talks with the International Atomic Energy Agency (IAEA) and the United States.

The Sankei Shimbun newspaper also quoted a senior U.S. State Department official as saying that North Korea had presented the idea to IAEA Director-General Hans Blix when he visited the North last month to inspect nuclear facilities.

Richard Solomon, assistant secretary of the U.S. State Department for East Asia and Pacific Affairs, told Sankei that North Korea is willing to switch fuels at its nuclear power plants from plutonium to uranium to end fears in the West that it might be developing nuclear weapons.

In return, Pyongyang wants technology assistance about nuclear plants from the West, the U.S. official said.

Referring to the outcome of inspections by an IAEA team last month, Mr. Solomon said North Korea did not have a large-scale plutonium reprocessing plant and pledged not to build such a facility although it admitted to having reprocessed a small amount of nuclear fuel on an experimental basis.

Mr. Blix said after his trip that the North had produced plutonium — not enough to make a weapon — at the Yongbyon plant, 60 miles north of Pyongyang.

Mr. Solomon said Washington was ready to raise the level of its contacts with the North in Beijing from working to senior-level if Pyongyang continues receiving IAEA inspections and accepts mutual inspections of nuclear facilities with the South.

(3826 - 1 - 1)

외신 1과 통 제	

배부처	장관실	차관실	一차보	二차보	외정실	분석관	아주국	미주국	구주국	중아국	국기국	경제국	통상국	문협국	외연원	청와대	안기부	공보처	경기원	상공부	재무부	농수부	동자부	환경처	과기처		
	/2		/		/	/		0/2							/	/	/										

0115

관리번호 92-768

외 무 부

종 별 :

번 호 : USW-2963 일 시 : 92 0611 1712

수 신 : 장관(미일,미이,정특,기정)

발 신 : 주미대사

제 목 : 주 유엔 북한대표부-평양간 직통전화 설치

연:USW-2392

1. 국무부 KARTMAN 과장은 금 6.10 당관 임성준 참사관과의 면담시 연호 주유엔 북한대표부와 평양 외교부간의 업무용 직통전화 회선 설치허가 신청과 관련, 최근 관련부서의 검토가 완료되어 '유엔본부 협약' 규정에 따라 허가키로 방침을 정하고 곧 북한대표부측에 통고할 예정이라고 밝혔음.

동과장은 금번 미측의 결정은 정치적인 요소가 전혀 배제된 (APOLITICAL) 기술적인 측면의 검토에 따라 이루어진 것임을 강조하였음.

2. 상기에 대하여 임참사관은 아측에 대한 사전통고에 사의를 표하고 북한측에 대한 설치허거 통고 시기와 관련 미측이 금번사안이 비정치적인, 기술적 검토에 따른 결정이라고 하나 대북 통고시기를 가급적 북한 핵문제 해결과 관련 중요한 분깃점이 될수있는 차기 JNCC 회의 개최 이후로 하는것이 가능한지 여부를 문의하였던바 동과장은 본건은 정치적인 고려없이 행정적으로 단순히 처리하는것이 좋을것으로 본다는 견해를 거듭 밝히면서, 금후 직통회선 설치 절차와 관련, 금번 미측방침은 동회선의 설치가 가능하다는 일반적 의미의 동의이며 실제적으로는 북한대표부가 미국의 전화회사와 계약을 맺고 동회사는 정부의 면허 취득허가를 받은후에야 직통전화 운영이 가능하게 되므로 실제운용은 좀더 시간이 소요될것이라고 설명하였음. 끝

(대사 현홍주-국장)

예고: 92.12.31 일반 고문에 의거 일반문서로 재분류됨

미주국	장관	차관	1차보	미주국	외정실	분석관	청와대	안기부

0116

PAGE 1

92.06.12 07:59

외신 2과 통제관 BN

공　　　　　란

공　　란

공 란

외무부 당국자 논평(안)

1992. 6. 12(금)

1. 우리는 북한이 핵재처리 과정을 거쳐 이미 플루토늄을 추출했으며 핵재처리공장에 해당하는 시설을 건설중에 있다는 것을 국제원자력기구(IAEA) 사무총장이 공식 확인한 것과 관련, 북한의 핵개발에 대하여 계속 우려를 갖고 있음.

2. 북한의 핵재처리시설 건설은 한반도 비핵화 공동선언 제3항을 위반하는 것이므로 북한은 이를 즉각 폐기하여야 할 것임.

3. 북한은 IAEA 사찰뿐만 아니라 핵무기개발 의혹이 가장 효과적으로 해소될 수 있는 남.북한 상호사찰이 조속 실시될 수 있도록 상호사찰규정을 채택하는데 성의를 다해야 할 것임.

4. 우리는 또한 금번 IAEA 사무총장의 브리핑 결과를 보고 북한 원자력시설의 안전 문제에 대하여 깊은 관심을 갖지 않을 수 없음.

0120

미주국장 6.12(金)
11:00 외무부 기자실에서
발표

외무부 당국자 논평

1992. 6. 12(금)

1. 우리는 북한이 핵재처리 과정을 거쳐 이미 플루토늄을 추출했으며 핵재처리 공장에 해당하는 시설을 건설중에 있다는 것을 국제원자력기구(IAEA) 사무총장이 공식 확인한 것과 관련 계속 우려를 갖고 있음.

2. 북한의 핵재처리 시설 건설은 한반도 비핵화 공동선언 제3항을 위반하는 것이므로 북한은 이를 중단하여야 할 것임.

3. 북한은 IAEA 사찰뿐만 아니라 핵무기 개발 의혹이 가장 효과적으로 해소될 수 있는 남.북한 상호사찰이 조속 실시될 수 있도록 상호사찰규정을 채택하는데 성의를 다해야 할 것임.

4. 우리는 또한 금번 IAEA 사무총장의 브리핑 결과를 보고 북한 원자력 시설의 안전 문제에 대하여 깊은 관심을 갖지 않을 수 없음.

0121

<unofficial translation>

Comments by a Senior Official of the Foreign Ministry with regard to the North Korean Nuclear Issue

(June 12, 1992)

- It is our continued concern that North Korea has already produced plutonium through nuclear reprocessing process and is also constructing a facility equivalent to nuclear reprocessing plant as was authoritatively confirmed by Director-General Hans Blix of the IAEA.

- We urge North Korea to halt construction of such nuclear reprocessing facility, since it is a clear violation of the paragraph 3 of 「the Joint Declaration on the Denuclearization of the Korean Peninsula」.

- We also urge North Korea to exert its good faith not only for the IAEA inspection but for the adoption of the South-North mutual inspection regime so that the mutual inspection, which could be the most effective means of dispelling suspicions about its nuclear weapons program, can be early implemented.

- As disclosed in the reports by the Director-General of the IAEA, we cannot but express our deep concerns about the safety matters of the North Korea's nuclear facilities.

0122

공　　　란

공 란

공　　　란

공　　란

공 란

공 란

공 란

공 란

공 란

공 란

공 란

공 란

공 란

공　　란

공　　　란

공 란

공　　　　　란

공 란

공 란

공 란

공　　　란

6|17(간)신

主要外信隨時報告

21

外務部 情報狀況室
受信日時 92. 6 .17 .08 :30

부시-옐친, 北韓核 포기 촉구

(워싱턴=聯合) 李文鎬특파원 = 부시 美대통령과 옐친 러시아대통령은 16일의 美-러시아정상회담에서 북한이 核무기개발을 포기하도록 강력히 촉구해야 한다는데 의견을 모은 것으로 전해졌다.

美-러시아정상회담 결과는 17일 공동성명을 통해 발표될 예정인데 양국은 공동성명에서 북한이 국제원자력기구(IAEA)의 사찰과 함께 남북한간의 상호사찰을 동시에 수락해야 함을 강조할 것으로 알려졌다.

그러나 양국이 공동성명을 통해 궁극적으로 재처리시설의 폐기까지 요구할 것인지는 아직 불투명하다.

美-러시아 양국이 이처럼 북한에 대해 核무기개발을 포기하도록 공동으로 특히 공개적으로 압력을 행사하기는 전례없는 일이다.

이번 美-러시아정상회담에서 북한核문제를 논의한 것은 IAEA의 사찰을 통해 지금까지 북한이 일관되게 부인해왔던 재처리시설의 존재가 확인됨으로써 그동안 계속 표명해온 미국의 우려가 사실로 밝혀졌기 때문인데 러시아측이 오히려 보다 적극적인 입장을 보인 것으로 전해지고 있다.

미국은 국제원자력기구의 사찰로 북한이 그동안 거짓말을 해왔음이 들어난 이상 계속적인 사찰이 필요하며 한국은 물론 러시아, 일본, 중국등 관련국과 공동대처해야 한다는 입장이다.

이에 대해서는 러시아도 전적으로 같은 입장을 표명한 것으로 전해지고 있다.(끝)

0144

북미2과 - 김

報告畢

報 告 事 項

1992. 6.17.
外交政策企劃室
特殊政策課(57)

題 目 : "북한의 핵문제와 남북관계"에 관한 학술회의

민족통일연구원이 6.16(화) 개최한 표제 학술회의의 주요내용을 아래 보고드립니다.

1. 발표논문요지

가. "핵문제에 대한 북한의 입장과 비핵화전망" (전성훈 : 민족통일연구원 책임연구원)

o 핵문제 대한 북한 입장은 한반도 비핵지대화 주장 관철, 핵무기개발을 부인하는 입장견지 및 의심동시 해소원칙에 의거한 비대칭 사찰 실시 주장등으로 요약 가능

o 현재 남북 상호 핵사찰 협상은 양측의 입장 차이로 난항을 겪고 있으나, 대내외적인 협상 촉진 요인(북한의 대일수교와 대미관계 개선 추구, 남북관계 진전을 필요로하는 남북 당국의 정치적 입장등)에 비추어 볼때 결국 타결 예상

- 북한측의 민간핵시설과 우리측의 군사시설 중심의 사찰 형식으로 절충

o 한반도 비핵화 실현의 요건은 ① 효과적인 상호사찰제도의 확립 ② 북한의 비핵지대화 주장철회 ③ 북한체제의 개방 ④ 한반도 및 동북아의 군사적 신뢰구축 ⑤ 남북한 핵사찰등의 투명성 증대등

o 북한의 핵개발을 근원적으로 저지하기 위하여는 남북한간 평화적 핵이용에 관한 협력이 필요

- 핵통제 공동위에 양측의 핵물질과 시설공동관리, 원자력기술 및 자원 협력을 수행하는 기능부여가 바람직

나. "남북협상의 성과와 남북관계 발전방향" (정규섭 : 민족통일연구원 연구위원)

o 남북협상의 성과로는 기본합의서」 및 「비핵화 공동선언」의 발효, 기본합의서의 이행기구 구성, 분야별 부속합의서 채택시한의 합의등이 있음.

0145

- 그러나, 각 공동위에서 실질적인 합의 사항을 도출하고 이를 실천할 때에야 진정한 「화해.협력시대」의 개막이 가능

o 북한의 협상태도는 현재 「남북공존」을 모색하면서도 통일전선 전술을 지속하는 이중성 견지

o 남북관계 발전방향으로는 대북 강경책을 통하여 북한의 변화 또는 체제붕괴를 추진하자는 주장도 있기는 하나, 남북간 공존공영을 통한「남북연합」을 실현하여 궁극적인 통일을 이룩할 수 있도록 하는 점진적 발전 구도에 입각함이 바람직 ? 바람직하다고 이상적으로 생각할 수 있으나 현실에 대한 냉철한 인식 필요.

2. 관 찰

(북한 핵문제)

o 핵재처리 시설유무등 기술적 측면뿐만 아니라, 핵무기 보유 목적등 정치.군사적측면까지도 고려한 종합적이고 포괄적인 대응시나리오 개발이 요망된다는 점이 지적됨:

o IAEA 사찰이후에 북한 핵시설의 안전성 문제가 새로이 부각되었음.

o 북한이 이미 핵무기와 핵무기 재조물질(플루토늄)을 보유하고 있을 경우 (자체 추출 또는 구소련으로부터 밀반입가능성 고려)에는 남북 상호사찰도 효과적인 문제해결책이 되지 못할 것이라는 우려가 재기됨.

(남북관계)

o 북한의 대남 기본인식.전략변화 여부에 관하여 상반된 견해 존재
  - 북한의 기본합의서 채택, 유엔동시가입, IAEA 핵사찰 수용등의 일련의 조치가 대남적화라는 전략적 목표하의 전술적변화에 불과하다는 견해와 그에 대한 반론

o 북한 핵문제와 남북관계진전을 연계시키는 문제와 관련, 정부의 명백하고 구체적인 입장표명이 필요하다는 점이 지적됨.

3. 관련조치 : 부내 관계국에 내용통보. 끝.

0146

北核「샌드위치 압력」

부시-옐친 공동대응 거론의 의미

新질서 구축 핵심과제로 浮上

조지 부시 美대통령과 보리스 옐친 러시아대통령은 16일 정상회담에서 전략무기의 대폭 감축에 합의하는등 냉전체제의 현실적인 잔재를 제거하고 미국 러시아 양국간의 새로운 협력관계를 구축하기로 합의함으로써 세계질서재편에 전기를 마련했다. 특히 우리에게는 이 새로운 질서의 주역이라고 할수있는 양국정상이 북한의 핵문제등 한반도문제에 대한 협의를 한 것으로 알려져 그들이 나눈 얘기가 더욱 관심의 대상이 되고 있다.

부시와 옐친대통령은 이날 백악관에서 세차례에 걸친 회담을 끝낸후 공동기자회견을 갖고 핵탄두를 러시아는 3천개,미국은 3천5백개로 줄이기로 합의했다고 말하면서 북한의 핵문제를 비롯한 지역적인 문제에 대한 합의내용은 밝히지 않았다.

그러나 제임스 베이커 미국무장관은 정상회담 하루전인 15일 핵확산방지를 위한 미 러시아간 협력방안을 논의할 것이라며 북한을 지칭해 회담의제에 북한의 핵문제가 올라있음을 시사했고 워싱턴의 고위소식통들도 북한의 핵문제가 양국정상간에 거론됐을 것이라는 견해를 밝혔다.

한 소식통은 워싱턴주재 러시아대사관측이 북한의 핵문제가 정상회담의 의제에 포함될 것임을 알려왔다고도 말하고 있어 이날 회담에서는 이 문제에 대해 상당히 깊숙한 얘기들이 오간 것으로 추측되고 있다.

이날 정상회담에서 양측은 냉전체제붕괴이후의 새로운 세계질서구축이란는 큰 전제아래 이를 거부하는 구질서의 한 형태로 북한의 핵정책을 분류하면서 공동대응책을 논의한 것으로 알려지고 있다. 즉 부시대통령이 회담후 기자회견에서 밝혔듯이 핵위협을 없애는 것을 신질서의 핵심으로 보고 이를 위해 미 러시아가 공동노력한다는 한 과정으로 북한의 핵문제에 대한 공동대처방안을 논의했다는 풀이다.

북한의 핵문제에 있어서는 러시아가 지금까지 확고한 자신들의 입장을 공표한 사실은 없다. 그러나 미국과 협력관계를 구축하면서 새질서의 주도적인 역할을 수행하기 위해서는 이질서에 거부반응을 보여온 북한 이라크 리비아등에 대해 미국과 다른입장을 취할 계제가 되지 못한다. 한 소식통은 워싱턴주재 러시아대사관측이 「러시아측에서 북한의 핵문제를 먼저 거론할 것」이라는 귀띔을 했을 정도로 적극적이었다고 전하면서 러시아가 취하는 북한의 핵문제에대한 태도가 미국과 전혀 다를 바가 없을 것이라고 분석했다.

따라서 이날 정상회담에서도 양국정상은 미국이 지금까지 대외적으로 강조해 온 것과 마찬가지로 북한의 핵정책에 대한 의구심이 전혀 해소되고 있지않은 상황인만큼 平壤측은 국제원자력기구(IAEA)의 핵사찰과 남북한이 합의한 상호사찰을 적극 수용해야한다는데 의견을 같이한 것으로 분석된다. 더욱 적극적인 의미는 미국이 그동안 북한에 대해 가해온 핵사찰 압력을 러시아도 동의하면서 공동보조를 취하겠다는 뜻을 밝힌 것으로도 추측이 가능하다.

러시아가 북한의 핵문제에 대해 미국이 취해온 정책을 공개적으로 수용하고 이를 행동으로 표시한다면 북한이 받는 압력은 몇배로 가중될 것이 분명하다. 비록 러시아가 북한에 대해 갖는 영향력이 과거 소련의 영향력과는 비교가 되지않는다고 하더라도 平壤에 대한 모스크바의 압력은 서방의 기존압력과는 또다른 실질적 심리적 효과를 가져올 수 있기때문이다.

이날정상회담에서 미 러시아가 옐친대통령의 표현대로 2만1천개 핵탄두를 6천5백개로 줄이기로 합의한 것도 획기적인 일이기는 하지만 우리로서는 북한의 핵문제에 대해 두강대국이 보인 일치된 견해가 앞으로의 사태에 어떤 영향을 미칠지 더욱 관심거리인 것이다.

선거를 치르고있는 부시대통령의 인기하락과 국내 보수세력의 압박을 받고있는 옐친대통령의 입장은 사실상 이번 정상회담의 핵탄두감축 합의에 큰 영향을 미쳤다. 두 정상 모두가 외교적인 성과로 국내적인 어려움을 조금이라도 경감시켜야한다는 절박성을 갖고있었기 때문이다. 그러나 어떻든 미 러시아 양국은 냉전체제붕괴 이후 처음으로 새로운 세계질서의 틀을 마련하면서 특히 핵문제를 그 질서구축의 가장 중요한 문제로 등장시킨것 같다. 따라서 이번 정상회담으로 양국은 핵확산방지문제등에 더욱 적극적인 태도를 취할것으로 보이며 핵위협이 가시지않고 있는 한반도 주변등 지역문제에 상당한 영향력을 시도할 것으로 추측된다.

〈워싱턴=南贊淳〉

0148

"北核저지 IAEA사찰로는 한계"

南北상호사찰통해 의혹 풀어야

양측합의사항 실천방안 明示를

北核과 南北관계 학술회의 民族統一硏 주최

최근 北韓의 核문제가 국제원자력기구(IAEA)등 국제사회에서 중요현안으로 부각되고 있는가운데 민족통일연구원(원장 李炳龍)은 16일 서울힐튼호텔에서「北韓의 核문제와 南北韓관계」라는 주제로 학술회의를 개최했다.

[illegible]

민족통일연구원이 16일 타워호텔에서 주최한「北韓의 核문제와 남북한관계」학술회의.

[illegible]

토론

[illegible]

<朴濟均>

미·일 압력 작용 상호사찰 타결 전망

민족통일연구원 '북한핵' 세미나

정부가 북한의 영변 방사화학실험실의 포기와 상호사찰을 관철시키기 위해 국제적 압력을 총동원하고 있는 가운데 남쪽이 주장하고 있는 상호사찰은 마침내 북한의 민간 핵시설과 남한의 군사시설이 사찰의 주요대상이 되는 선에서 수정·타결될 것이란 전망이 나왔다.

또 상호사찰이 타결된 뒤에도 상호사찰의 근본적 한계를 극복하고 북한의 핵연구와 개발활동을 분명히 밝히기 위해서 평화적 핵이용을 위한 남북핵협력방안이 강구돼야 한다는 견해가 제시됐다. 그런가 하면 북한이 여러가지 압력에도 불구하고 핵개발을 포기하지 않을 경우에는 국제적 협조 아래 군사행동도 생각해야 한다는 강경대응 방안도 제시돼 북한 핵문제에 대한 큰 시각차를 보여주기도 했다.

민족통일연구원(원장 이병용)은 16일 서울타워호텔에서 핵문제와 남북관계를 주제로 세미나를 열었다.

'핵문제에 대한 북한의 입장과 비핵화전망'이라는 제목으로 열린 첫번째 회의에서 전성훈 민족통일연구원 책임연구원은 주제발표를 통해 남북한 상호사찰의 타결전망을 제시했다.

이어 열린 토론에는 민주당의 조순승 의원, 남만권 국방연구원 군비통제연구센터 소장, 이춘근 세종연구소 연구위원, 조청원 과학기술처 원자력 협력과장 등이 참여했다.

전 책임연구원의 주제발표 요지와 주요 토론자의 토론내용을 싣는다.

◇전성훈 책임연구원(주제발표)=현재 진행중인 상호 핵사찰 협상은 남북한의 첨예한 입장차이와 북한의 군사적 개방거부라는 장애요인으로 난항을 겪고 있다. 그러나 다음과 같은 협상 촉진이 작용함으로써 다소 시간은 걸릴지라도 마침내는 타협점을 찾을 수 있을 것으로 보인다.

첫째, 핵확산이 우려되는 다른 지역을 겨냥한 본보기로서 북한에 대한 강력한 사찰 실시를 관철하려는 미국과, 핵문제 해결을 수교의 전제조건으로 삼고 있는 일본의 대북 압력이다.

둘째, 경제난 극복과 외교적 고립탈피를 위해 이들의 요구를 수용하지 않을 수 없는 북한의 처지이다.

셋째는 남북관계 진전을 필요로 하는 남북한 당국의 정치적 입장이다.

이러한 촉진요인으로 핵협상이 타결될 경우, 그 내용은 다음과 같은 것이다.

한국은 북한 핵시설에 대한 의혹을 갖고 있는 반면 북한은 한국 안의 군사시설에 관심을 두고 있다는 점을 고려할 때 남한의 '상호동수 원칙'과 북한의 '의심동시해소 원칙'이 절충됨으로써 전체적인 '동수원칙'에 입각해 민간 핵시설과 군사시설을 동시에 사찰하되 북한에 대해서는 민간 핵

16일 서울 타워호텔에서 '북한핵문제와 남북관계'에 대한 세미나가 열려 참석자들이 남북한 상호 핵사찰 등에 대해 토론하고 있다. 〈곽윤섭 기자〉

핵개발 억제위해 남북협력방안 강구를

"재처리시설 포기 선언은 성급" 지적도

시설 중심의 사찰이 실시되는 방향에서 타협될 것이다.

이 경우, 민간시설에 대해서는 정기 및 특별사찰을 실시하되 군사시설에 대한 특별사찰은 제외될 것으로 보인다.

남북한이 상호사찰 실시에 합의하더라도 이것이 비핵화의 완성을 의미하는 것은 아니므로 한반도의 진정한 비핵화를 실현하기 위해서는 다음과 같은 과제들이 해결돼야 한다.

첫째, 국제원자력기구 사찰의 한계를 극복하고 취약점을 보완하기 위해 남북한 상호사찰이 강화돼야 한다.

둘째, 북한의 핵연구 및 개발활동에 대한 투명도를 증대시킴은 물론, 북한의 핵개발을 근원적으로 저지하기 위해 평화적 핵이용에 대한 남북한 협력방안이 강구돼야 한다.

◇조순승 의원=핵재처리시설을 보유하는 것은 핵안전협정 등 국제조약에 위배되지 않는다. 다만 남북한이 비핵화선언을 통해 보유하지 않기로 함으로써 재처리시설이 문제가 되고 있는데 사회 일각에서 재처리시설을 아예 포기해버린 것은 잘못이라는 지적이 나오고 있다.

◇전 책임연구원=옳은 지적이다. 그러나 남북한이 비핵화선언으로 재처리시설 등을 보유하지 않기로 약속한 만큼 지금 다시 재처리시설을 갖겠다고 하는 것은 국제적 신뢰에 문제가 생긴다. 또 현실적으로도 재처리시설을 보유하는 것이 불가능하다는 제약이 있다.

◇남만권 소장=북한은 앞으로 1~2년만 버티면 대외적 입지가 호전될 것이다. 김일성은 살아남는 길이 핵개발이라는 인식 아래 이에 주력해왔다. 북한이 국제원자력기구의 사찰 등에 협조적이라는 판단은 기본적으로 대남 적화노선의 근본변화가 없는 한 단기적으로 의미가 없다.

정부는 우선 이런 관점에서 상호사찰을 관철시키기 위해 미·일 등 우방국과의 공조, 중국·러시아 등의 협조에 이어 국제원자력기구 중재재판 원용과 특별사찰 실시, 유엔 안보리 상정을 고려해야 한다. 또 남북경협과 교류를 재검토하고 주한미군 철수도 진면 재고해야 한다.

최종으로는 한반도 비핵화선언 파기와 유엔 안보리에 의한 강경조치가 필요하다.

◇전 책임연구원=상호사찬은 시간이 걸리며 인내가 필요한 작업이다. 최근 방한했던 레만 미 군축처장은 시간이 걸리더라도 효과적인 상호사찰제도 마련을 강조했는데, 이는 북한의 국제원자력기구에 의한 사찰수용으로 볼 때 북한의 핵개발기술이 초보적 차원에 머물러 있다는 판단 때문으로 보인다. 〈박종문 기자〉

0149

JUN 17 '91 10:30 T

To: 북미과장님

(배기본 특보)

P.4

수신: 외무부 공보관님 (730-5076) - 10시에 대통령비서실(?), 통일원, 안기부에도 함께 보냄.

발신: 공보처 공보관

제목: 북한 핵문제 관련 정부 대변인 성명 「안」

제발 하옵고

1. 별첨 내용 검토 하시어 의견을 부탁 드립니다.

2. 특히 ※ 내용이 성명내용에 들어갈 수가 있는지 의견 주십시오.

3. IAEA 이사회와 연계, 발표시기에 관한 의견도.

감사 합니다.

0150

동 기

북한의 핵이 우리의 남북대화와 통일을 위한 노력에는 물론 동북아의 평화와 안전에 결정적인 장애요인임을 인식하고 정부는 다음과 같은 입장 표명을 하기에 이르렀음.

0151

북한 핵에 관한 정부 대변인 성명(안)

기사화X

○ 북한의 핵 개발 능력과 핵 재처리 시설 건설 및 핵무기의 개발.제조 의사가 금번 IAEA의 사찰에서 공식적으로 확인되었음.

○ 이는 그간 북측이 "핵무기를 제조할 의사도 능력도 없다"고 계속 주장해 오던 것이 허위였음을 입증하고, 남북한이 서명 발효시킨 한반도 비핵화 공동선언의 정신을 정면으로 부정하는 것이므로 정부는 깊은 우려를 금할 수 없음.

○ 우리는 남북 상호간이 성실한 자세로 화해.협력.교류를 통해 궁극적으로 평화적인 통일을 달성해 가야한다는 종래의 입장을 재천명하면서, 북측이 남북 상호 핵사찰을 수락하고 보유핵 물질에 대해서는 성실히 신고하여 비핵화 공동선언의 준수를 내외에 입증해 줄 것을 요구하며,

○ 아울러 북한이 독자적으로 개발했다고 믿어지는 핵시설이 불완전하여 그 안전도를 의심치 않을 수 없는 바, 체르노빌과 같은 한반도에서의 핵사고 방지를 위해서 서투른 핵개발의 중단을 강력히 촉구함.

0152

o 북한이 조만간에 핵개발 포기를 분명히 하지 않음에 기인하는 한반도의 긴장고조 등 모든 사태에 대한 책임은 북한측에 있음을 엄숙히 밝혀두는 바임.

※ 다음과 같은 대책을 대변인 성명에 추가할 수 있음.

1.미군철수 유보, TS 훈련 재개

2.우방국들과 협조 유엔 안보리 제소 및 대북한 제재 주도

3.남북간 대화 및 교류의 중단을 포함한 대북정책 수정 등

0153

공　　란

공 란

원 본

외 무 부

종 별 :

번 호 : USW-3060　　　　일 시 : 92 0617 1444

수 신 : 장관(미일,미이,정특,국기)

발 신 : 주미대사

제 목 : 미.러 정상회담(북한핵문제)

1.작 6.16 오후 개최된 2차 미.러정상회담 관련 미고위 관계관의 연론 브리핑시 북한핵문제관련 질의, 응답용지를 아래 보고함.

(질의) 중국 및 북한의 핵무기 확산문제가 양국 정상간에 논의되었는지?

(답변) 공동관심사에 관한 간략한 논의가있었으며 핵확산 방지에 양국이 이해를함께한다는데에 의견이 일치를 보았음. 북한의 핵문제가 관심사항의 하나로서 엘친대통령에의해 거론되었음.

(질의) 북한의 핵확산 억지에 관한 엘친대통령의 언급내용 상세는 ?

(답변) 공동의문제 (COMMON PROBLEM) 라고만 언급함.

2. 질의 응답 전문 FAX 송부함.끝

첨부: USW(F)-3952

(대사 현홍주-국장)

미주국　1차보　미주국　국기국　외정실　분석관　장관

0156

PAGE 1　　　　92.06.18　07:41 DG

외신 1과 통제관

주 미 대 사 관

USW(F) : 3952 년월일 : 92.6.17 시간 : 12:00

수 신 : 장 관 (미일, 미이, 정특, 국기)

발 신 : 주 미 대 사

제 목 : 미.러정상회담 (북한 핵문제)

보 안 통 제	

(출처 : FNS)

WHITE HOUSE BACKGROUND BRIEFING ON THE YELTSIN VISIT
ATTRIBUTABLE TO A SENIOR ADMINISTRATION OFFICIAL
TUESDAY, JUNE 16, 1992

Q The other question was, was there any discussion about the proliferation of atomic weapons in China and North Korea?

SR. ADMIN. OFFICIAL: Let me say on the first question, which is an arms control question, I mean, the START Treaty itself has a whole regime for inspection and it will apply here. But I really don't -- we don't want to answer arms control questions.

On the second issue --

SR. ADMIN. OFFICIAL: Well, there was -- there was a brief discussion about the common interests that we share and a full agreement that we do share this interest in preventing nuclear proliferation. And the case of North Korea as a subject of interest was mentioned by President Yeltsin.

SR. ADMIN. OFFICIAL: Yes, sir?

Q Would you go more specific as to how responsive President Yeltsin was in deterring the possible nuclear proliferation by North Korea?

SR. ADMIN. OFFICIAL: He simply said it was a common problem.

SR. ADMIN. OFFICIAL: We said it was a common problem. No more.

END

(3952 - 1 - 1)

외신 1과 통 제	

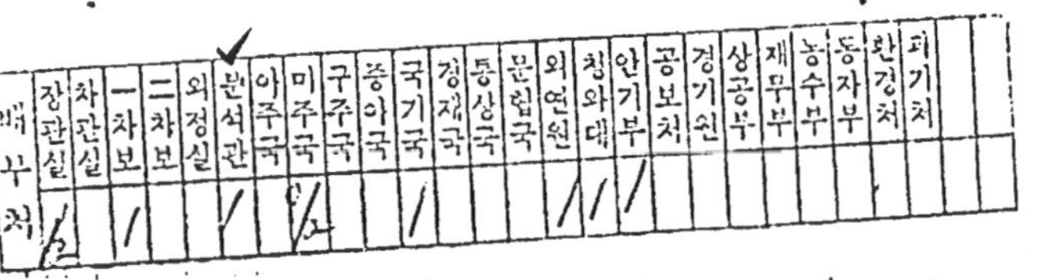

0157

관리번호 92-1596

외 무 부

종 별 :

번 호 : USW-3076　　　　일 시 : 92 0617 2000

수 신 : 장 관 (미일,미이,동구일,국기)

발 신 : 주 미 대사

제 목 : 북한 핵 문제

연: USW-2962

1. 미.러 정상은 이틀간에 걸친 정상회담을 마치고 금 6.17 전략무기 감축,GPALS, 러시아에 대한 경제 원조, 대량살상무기 확산 방지등 미.러간 공동관심사에 관한 각종 합의문, 성명등을 발표한 바, 연호 북한 핵 문제에 대한 공동선언문 (JOINT STATEMENT ON KOREAN NUCLEAR NON-PROLIFERATION) 도 그 일부로서 발표됨.

2. 동 공동선언문은 연호로 보고한 내용 그대로 발표되었음.

(대사대리-국장)

예고: 일반 92.12.31.

일반문서로 재분류(1992.12.31.)

검토필 ('92. 6.30.)

미주국 장관 1차보 미주국 구주국 국기국 분석관 청와대 안기부

PAGE 1

92.06.18 09:25

외신 2과 통제관 FS

0158

1. 美.러시아 頂上會談 結果

6/18 신

7/

o 부쉬 大統領과 옐친 大統領은 6.16과 6.17 워싱턴에서 2차례 頂上會談을 가진 후, 아래 要旨의 共同聲明을 6.17 發表함.

(北韓 核問題 관련)

- 北韓에 IAEA 査察과 함께 南北韓間 相互査察 受諾 强調
- 南北韓間 韓半島 非核化宣言의 完全한 履行 促求

(戰略核武器 追加 減縮)

- 美.러 兩國의 戰略核彈頭數(現在 각 1만개 정도 保有)를 2003년까지 美國은 3,500개, 러시아는 3,000개로 대폭 減縮
- 2003년까지 2단계에 걸쳐 地上配置 多彈頭 ICBM 廢棄(러側의 SS-18 및 SS-24, 美側의 MX 미사일 및 미니트맨 III 미사일 해당)
  . 美側은 SLBM(潛水艦 發射 彈道미사일) 保有數를 1750기로 減縮
- 對미사일 防空協力을 위한 共同努力 合意

(對러시아 經濟援助)

- 美國의 對러시아 援助 計劃의 早期履行 合意
- 國際通貨基金等 西方側의 對러시아 支援 條件 緩和에 美國의 影響力 행사 約束

(兩國 同伴者關係)

- 民主的 價値를 바탕으로 未來를 향한 民主的 同伴者關係 다짐

(駐美大使 報告 및 外信綜合)

0159

"KAL 被擊자료 모두公開"

옐친演說 美·러 획기적 核감축合意

北韓 상호核사찰 수용촉구

【워싱턴=鄭逸和특파원】미국을 방문중인 보리스 옐친 러시아대통령은 17일 상오 11시 (한국시간 18일0시) 美상·하양원합동의회연설에서 러시아는 지난83년 사할린상공서 격추된 KAL 007機사건에 관한 자료들을 열어 모든 것을 밝히고 공개하겠다고 약속했다.

그는 또 러시아에대한 지원을 확대해줄것을 촉구하는한편 조지 부시美대통령과 합의한 전략무기 추가감축협정서의 러시아측의 결정을 의회비준에 앞서 일방적으로 이행하겠다고 말했다.

이에앞서 옐친대통령은 16일 백악관에서 조지 부시美대통령과 정상회담을 갖고 새로운 핵무기 감축방안에 전격 합의했다.

두정상은 1차회담후 16일하오에 가진 공동기자회견에서 양국의 핵탄두보유상한선을 미국은 3천5백개, 러시아는 3천개수준이하로 추가감축키로 했다고 발표했다. ★관련기사3면

양국정상은 또 「제한핵공격에 대비한 汎지구방어망(GPALS)」구축도 공동주도키로 의견을 모았다.

【워싱턴=鄭逸和특파원】조지 부시美대통령과 보리스 옐친 러시아대통령은 17일 양국정상회담후 발표된 공동성명을 통해 북한이 국제원자력기구의 핵사찰과함께 남북한 상호핵사찰을 동시에 수락할 것을 촉구했다.

美·러시아 양국이 이처럼 북한에대해 핵무기개발을포기한도록 공개적인압력을행사하기는 전례없는일이다.

한국일보.

92. 6. 18 (목)

0160

미 · 러 동반 및 우호 헌장 요지

- 92. 6.17. 워싱턴 -

- 북 미 1 과 -

미 · 러 양국은 복지 · 번영 · 안보 분야에 있어 상호 밀접한 이해 관계를 확인하면서 민주주의 원칙 및 관행을 준수하고 국제 평화와 안보유지에 기여하는 한편 자유시장 원리의 확산을 도모하기위해 하기 미 · 러 동반 및 우호헌장을 채택함.

민주주의 및 동반자 관계

o 미 · 러 양국은 민주주의 원리 및 기본적 인권의 존중을 재확인

o 양국은 양자 및 다자관계등 다양한 수준에서 대화를 확대하며 국제 협력 및 안정차원에서 정기적으로 정상회담을 개최

o 양국민 또는 각종 단체간 교류증대를 통해 상호 신뢰와 이해 증진

o 상호 여행 규제 완화 및 영사관 증설을 통해 사적부문간 접촉을 확대하며 연방및 지방정부 상호간 교류도 확대

o 미국은 러시아의 민주제도 수립 노력에 지속적으로 협조할 예정

국제평화 및 안보

o 양국은 러시아 및 구소연방 국가내 민주주의의 성공이 국제평화와 안보에 미친 중요성을 재확인

0161

o 양국은 더 이상 서로를 적으로 인식하지 않고 상호 신뢰와 존경에 바탕한 동반자 관계로 인식

o 양국 상호간 분쟁은 유엔헌장 및 기타 조약상 의무에 기반, 평화적 수단으로 해결하며 상호 영토의 보전 및 정치적 독립성을 존중

o 그러나 유럽내 인종 및 영토분쟁을 고려시 냉전의 종식이 반드시 분쟁 및 불안정 상태의 종식을 의미하지 않는다는데 의견일치

o 양국은 유럽안보 협력회의(CSCE) 체제상의 현존 국경선을 존중하며 국경의 변경은 국제법과 CSCE 원칙에 의거, 평화적 수단에 의해서만 가능함을 확인

o 유고사태와 같은 비극이 재현되어 유럽의 안보를 침해하지 않도록 집단 안보체제 강화

o 향후 분쟁 발생시 적절한 대응 위한 분쟁 관리체계 강화
  - 인종간 적대감 해소 및 소수민족 보호를 위한 CSCE내 특별 대표기구 창설
  - CSCE내 국제분쟁 방지 및 관리를 위한 효과적 수단 확보
  - CSCE 체제와 관련, 유럽 대서양 지역내의 평화유지 능력 확보

o 북대서양 협력체(NACC), 북대서양 조약기구(NATO), 서구연합(WEU) 및 유럽안보 협력회의(CSCE) 의 활동을 기반으로, 유럽·대서양 공동체를 강화

o 라틴 아메리카·아프리카·아시아에서의 장기화된 분쟁해소 및 민주화 증진을 환영

o 위기관리의 일환으로 안보리 상임이사국 상호간 의사소통로 확보 중요성 인식

— 2 —

0162

o 유럽 재래식무기 협약·전략무기 제한 협정 및 미·러간 개별 핵협정등 군비통제와 군축문제 협상에 있어서의 상호협력

o 핵무기 및 재래무기의 지속적 감축·화학무기의 폐기·신뢰구축 및 위기관리 수단 확보를 통한 국제적 안정 확보

o 탄도미사일 조기경보 및 방어체제 확보에 상호협력

o 제 군사부문에서의 교류확대, 개방성 증대를 통한 전략적 동반자 관계 확립

아·태지역의 안정

o 아·태지역내의 신뢰구축 및 안정확보가 국제안보 증진의 관건임을 공감

o 양국은 상기 목표달성 위한 협조체제 유지

o 양국은 아·태지역 국가라는 지정학적 이점을 십분 활용, 동지역내의 경제적 잠재력 개발에 최대한 노력

경　　제

o 자유시장 경제체제 확립을 위해 러시아는 독점폐지·재산권 인정·토지개혁·사유화 추진등 부문별·구조별 개혁 지속

o 미국은 러시아의 개혁이 세계경제 및 민주화 성공에 밀접히 연관되어 있음을 감안, 기술분야에서의 지원등 지속적 협력 약속

o 러시아는 바람직한 투자환경 조성을 위해 세금·사유재산권·계약 및 지적소유권등 경제관계 관련법규 정비 추진

o 양국 경제인의 상대국내 기업활동 촉진을 위한 제장벽 제거

o 농업・식품유통・에너지・우주개발 분야에서의 사적부문간 협력 필요성 인식

o 양국은 대량 살상무기의 확산 방지에 협력하는 한편, 러시아 및 신생 독립국가 연합이 첨단기술을 획득할 수 있도록 상호협력

o 양국은 과학・기술・교육・문화 및 기타 영역에서의 상호교류 확대

o 군수산업의 민수산업으로의 전환에 상호협력

상기 헌장은 1992년 6월 17일 워싱턴에서 영・러 양국언어로 각기 작성되었으며, 각 문서는 원본으로서 동일한 효력을 지님.

관리 번호	92-376

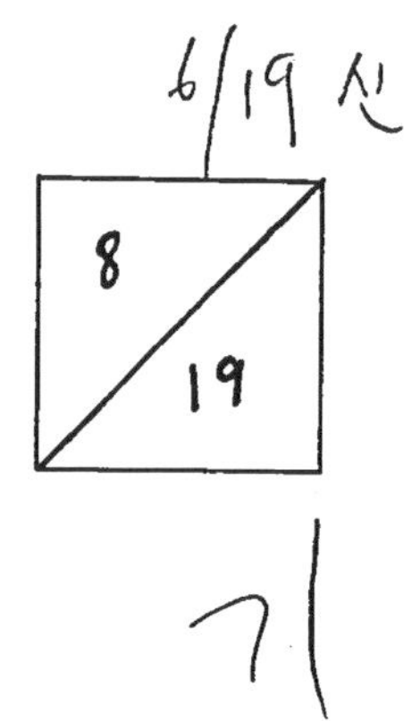

美.러 頂上 會談

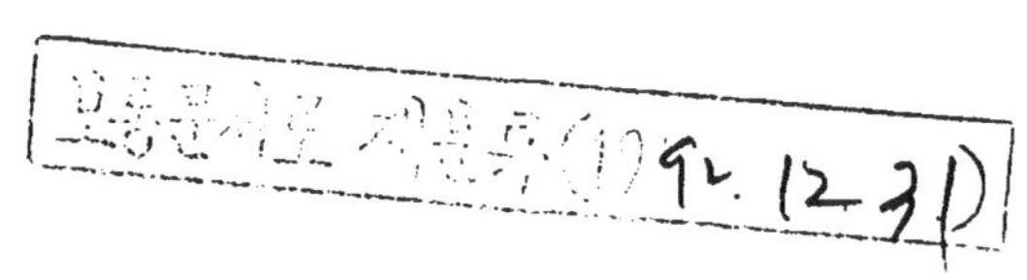

1992.6.19.

外 務 部

> 美.러 兩國 大統領은 6.16-17간 워싱톤에서 頂上會談을 갖고 北韓 核問題 等 我國 關聯事項을 包含 戰略核武器 減縮, 經濟協力 等에 대해 合意한 바, 主要 內容을 아래 報告드립니다.

1. 옐친 大統領 訪美 槪要

o 今番 옐친 大統領의 訪美는 國賓 訪問이며, 兩國間 最初의 公式 頂上會談임

- 92. 2. 캠프 데이비드에서 非公式 頂上會談 開催
- 頂上會談 3回, 國賓晩餐, 議會演說 等 日程
  - · 兩側 공히, 民主主義와 自由의 時代 開幕 宣言
  - · 클린턴 民主黨 大統領 후보와도 面談 豫定

0165

2. 我國 關聯事項

(北韓 核問題)

o 美.러 兩國 頂上은 "韓半島 核擴散 防止에 관한 共同發表文" 에서 相互查察 實施의 重要性 强調

- IAEA 安全協定과 韓半島 非核化 共同 宣言에 따른 義務의 完全한 遵守가 北韓 核開發 疑惑 해소에 필요

· IAEA의 查察에 대한 北韓의 계속적 協調 뿐만 아니라 南北韓 相互查察 수락 촉구

※ 共同 發表文은 그간 韓.美間 協議로 마련된 草案을 그대로 採擇(韓.러間에도 協議)

(大韓航空 007機 擊墜事件 眞相 糾明 等)

o 옐친 大統領은 議會演說 및 共同 記者會見時 大韓航空 007機 擊墜原因 糾明 用意 表明

- 公開와 協力을 바탕으로 한 러시아의 새로운 對外政策 推進에 있어 力點 事業으로 過去 疑惑 解消

- 韓國戰 美軍 捕虜· 失踪者문제 해결 및 여타 KGB 文書 等 調查· 公開 意思 表示 (國際 協力 歡迎)

o 기타, 새로운 政策의 證據로서 아프가니스탄 撤軍, 쿠바와의 관계 再調整 事例 열거

0166

3. 美.러間 主要 合意 事項

(軍縮 分野)

o 美.러 兩國은 2003년까지 전략 核彈頭를 各各 3,500基 및 3,000基로 減縮키로 合意

- 러측 보유 地上配置 多彈頭 미사일 全面 廢棄

- 潛水艦發射 彈道 미사일 彈頭數는 美.러 공히 1,750 基로 減縮

o 制限的 미사일 防空 體制 개발을 위한 協力에 합의

- 早期 警報의 共有, 미사일 防衛 能力 및 技術 開發 협력

(經濟協力)

o 러시아의 經濟 改革을 위한 諸般 美.러 兩者 協定 체결

- 投資, 二重課稅 防止, 民間海外投資 增進, 輸出入 銀行 활동에 관한 協定등 구체적 經協에 관한 諸 協定

  * 6.17자로 러시아에 대한 最惠國 待遇 부여

o 부쉬 行政府 및 옐친 大統領은 美議會의 대러시아 經濟 지원 法案 승인을 촉구

- 國際 財政支援 240억불 중 美側분담분 30억불 등

0167

(其他 合意)

o 美.러시아 同伴者 및 友好關係 樹立을 위한 憲章 採擇
  - 美國은 美.러간 「民主主義를 통한 平和」 樹立 제의

o 冷戰時代의 相互 規制 撤廢
  - 兩國官吏의 旅行 自由化, 公館 職員數 制限 撤廢

o 美國 平和 奉仕團의 러시아내 活動 計劃 合意

4. 評價 및 特記事項

o 美.러 兩國 頂上이 相互査察 수용을 北韓에 촉구한 것은 北韓에 대한 효과적 壓力으로 작용할 것으로 豫想
  - 당초 러측이 地域問題에 대한 協調 姿勢 표시를 위해 提議
  - 我側은 發表文案이 分明한 내용이 될 수 있도록 美側과 긴밀히 協調

o 美.러 兩國의 同伴的 協力 關係 樹立 宣言도 北韓에 대한 심리적 압박으로 作用 예상

o 美國 政府는 금번 頂上會談 合議事項을 我國등 同盟國에 通報
  - 베이커 國務長官, 6.17 外務長官 앞 서한 전달

添 附 : 1. 韓半島 核 擴散 防止에 관한 共同 發表文 (國.英文)
2. 베이커 國務長官의 外務長官 앞 書翰 要旨 끝.

豫 告 : 1992. 12. 31. 一般

0168

〈첨 부 1〉

한반도 핵확산 방지에 대한 공동선언

러시아와 미국은 핵무기 확산을 저지하기 위한 국제사회의 노력을 지지하면서 한반도의 핵확산금지를 강화하는데 있어 긍정적인 변화가 있음을 주목한다. 양측은 91년 12월 31일의 한반도 비핵화에 관한 남.북한 선언을 성원하며 이 지역 평화와 안보, 그리고 한반도의 화해와 안정에 필수적으로 기여하게 될 이 합의의 완전한 이행을 촉구한다.

양측은 북한이 국제원자력기구와 맺은 안전협정을 비준한 것을 환영하며, 북한이 북한의 핵시설을 적절한 안전조치하에 두기 위해 이 기구와 더욱 협력할 것을 요청한다. 북한은 믿을 수 있고 효과적인 상호사찰과 함께 국제원자력 기구의 안전협정을 포함, 핵확산금지 조약과 비해과 공동선언이 요구하는 의무를 완전히 준수함으로써 한반도 핵문제에 관한 국제적 우려를 완전히 해소할 수 있을 것이다.

0169

JOINT STATEMENT ON KOREAN NUCLEAR NON-PROLIFERATION

Russia and the United States, supporting the efforts by the international community to counter the proliferation of nuclear weapons, note the positive changes in strengthening the nuclear non-proliferation regime in Korea. They applaud the North-South Joint Declaration on the Denuclearization of the Korean Peninsula of December 31, 1991, and call for the full implementation of this agreement, which will make an essential contribution to strengthening regional peace and security and to reconciliation and stability on the Korean Peninsula.

The sides welcome DPRK ratification of the safeguards agreement with the IAEA and encourage further cooperation with the Agency in placing its nuclear facilities under appropriate safeguards. Full compliance by the DPRK with its obligations under the NPT and the Joint Declaration, including IAEA safeguards as well as credible and effective bilateral nuclear inspections, will make possible the full resolution of international concerns over the nuclear problem on the Korean Peninsula.

〈첨 부 2〉

베이커 장관의 외무장관앞 서한요지(6.17.자)

o 오늘 워싱턴에서 미.소 양 정상은 다탄두 대륙간 탄도미사일(MIRVED ICBMS) 폐기를 포함, 전략핵무기를 과거 전략무기제한협정(START) 합의 수준의 절반 이하로, 그리고 1990년 합의의 1/3 이하 수준으로 감축하기로 결정한 합의서에 서명하였음.

o 또한 대탄도미사일 방위분야에서, 양 정상은 동맹국 및 관련 이해당사국들과 협조, 범세계적 방위망 구축작업을 추진해가기로 합의하였음. 이를 위하여 양 정상은 고위급 협의체를 구성, 조기경보 및 방위기술분야에서 계속 협조해 나가기로하는 한편, 양국간 협조를 위한 법적 기반을 발전시켜 나가기로 하였음.

o 이번 회담의 결과는 구소련 붕괴이후 변화된 새로운 안보상황을 반영하는 것으로서, 그동안 START 합의 수준이상의 핵 무기 감축을 이룩하기 위하여 부단히 노력한 결과라고 생각함. 이번 양 정상간 합의내용과 그의미에 대해서는 Bartholomew 차관이 6.12일 워싱턴에서 우방국 대사들에게 상세히 설명하게 될 것임.

0171

예 고 : 독후파기

'92 - 제344 호

북한, 미. 러시아간 핵무기 감축 합의 사실 보도
- 한반도 핵관련 성명내용 미언급
('92. 6.20,00:00, 중 방)

이따르 따스통신의 보도에 의하면 러시아대통령이 15일부터 18일까지 워싱턴을 방문해서 미국대통령과 회담하고, 러시아와 미국의 동료 관계 및 친선관계에 관한 헌장과 전략 공격무기를 가일층 축감할데 관한 합의서 등 일련의 문건들에 조인했습니다.

이번에 체결된 전략공격무기 축감에 관한 합의서에 따라 러시아와 미국은 2003년까지 전략핵무기 탄두수를 각각 3,500기 미만으로 축감하고, 지상기지 장거리 다탄두핵미사일을 제거하며, 잠수함 발사미사일 탄두수를 각각 1,750개로 축감할 것이라고 합니다.

한편 러시아대통령은 미국으로 가기에 앞서 진행된 러시아 육.해군 최고 지휘관들 과의 상봉에서 연설하면서 러시아는 전략적 균형 정책을 실시하고 있으나 미국측이 약간 다른 길로 나아가고 있기 때문에 두 나라는 전략적 균형을 보장하는 문제에서 아직 합의에 도달하지 못하고 있다고 말했습니다.

0172

- 1 -

그는 미국측이 러시아에 지상기지 장거리 다탄두핵미사일을 모두 폐기하고, 해상전략핵무력수를 최소한으로 줄일 것을 제의하고 있다고하면서 그러한 결정이 채택되는 경우 미국은 러시아보다 유리한 위치에 놓이게 될 것이라고 언급했습니다.

0173

- 2 -

관리번호 92-385

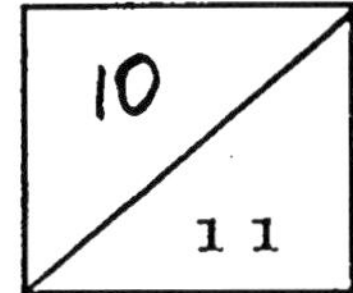

長 官 報 告 事 項

報 告 畢

1992. 6.20.
美 洲 局
北 美 1 課(66)

題目 : 카나다·러시아 頂上會談

멀루니 首相과 옐친 大統領은 6.19. 오타오에서 카·러 頂上會談을 갖고, 兩國 共同 關心事項을 論議하였는 바, 同 關聯事項을 아래 報告드립니다.

1992.12.31. 예고문에 의거 일반문서로 재분류됨

1. 옐친 大統領 訪카 行事 概要

- o 정상회담, 상하원 합동의회 연설 및 크레티엥 자유당 당수 면담
- o 무역협정, 우호협력 협정, 북극협력 협정 등 체결

2. 頂上會談時 兩側 言及 內容

- o 러측
  - 양국 우호관계 중요성 강조
  - 금년 하반기 카나다산 곡물 구매의사 표명
- o 카측
  - 대러 투자촉진을 위한 2억 카불 상당의 대카나다 기업 해외투자 보험 제공

— 1 —

0174

- 뮌헨 개최 G - 7 정상회담시 여타 회원국의 대러 지원 확대 요청
- 러시아 청소년 위한 1천만 카불 규모의 옐친 장학금 설치

3. 카側의 核發電所 安全技術 提供 計劃 發表 內容

(옐친 대통령 방카를 계기 6.19 멀루니 수상 발표)

o 구소련 연방 및 동구권 국가내 핵발전소 안전 운용 지원을 위한 3년 계획, 3천만 카불 기금조성

  - 러시아 및 구소련 연방국가가 개발한 원자로의 기술적 결함 보정 및 안전사고 방지에 촛점
  - 기금규모 감안시, 정치적 및 상업적 의도 내재 추측

o 카나다 핵기술자의 파견 및 서방핵 기술 제공

4. 分析 및 評價

o 금번 카 · 러 정상회담을 계기로 양국간의 우호 협력체제 기틀이 마련
  - 러시아의 시장 경제 체제로의 전환 지원

o 카측은 러시아 및 구소련 연방국가들에 대한 원자력 안전 기술 제공을 통해 동 분야에서 카나다의 능력을 과시하는 한편 원자력 산업부문의 진출확대를 도모하고 있는 것으로 판단
  - 동 카측의 제안은 향후 북한핵시설 안전도 문제 관련 참고 가능
    · 카측은 92. 4. 미주국장 방카시 남북 상호사찰과 관련 카측 전문가의 파한등 협조 용의 표명 끝.

0175

장관님 6. 20 기자회견시

(미주국)

최근 북한은 이철 주제네바대표부 대사의 일본 교도통신과의 회견(6. 10)등 여러 경로를 통해 IAEA 및 미, 일등 서방국들이 북한에 대해 경수로 원자력 발전 기술을 제공할 경우에는 재처리시설 개발을 단념할 것이라고 하는등, 북한이 원자력의 평화적 이용에 적극적인 관심을 표명하고 있는 것으로 알려지고 있는 바, 이 문제에 대한 정부의 입장은 ?

▲ 북측 의도

ㅇ 북한의 경수로 기술에 대한 관심 표명은 최근 IAEA 임시사찰 및 6. 10. Blix IAEA 사무총장의 북한 핵시설 현황 브리핑에 따라 가중되고 있는 핵재처리 시설 건설에 대한 국제적 우려 및 포기 압력과 남북상호사찰 실시에 대한 압력을 희석시키는 한편, 원자력 기술 협력을 빌미로 미, 일등 서방국가들과의 관계 개선을 유인해 보려는데 그 저의가 있다고 봄.

▲ 정부 입장

ㅇ 북한은 현재 건설중인 핵재처리시설을 비핵화 공동선언 제3항에 따라 무조건적으로 즉각 중단해야 하며, 경수로 원자력 발전 기술 제공등의 조건을 내세워 공동선언상 의무 이행을 유보할 수는 없는 것인 바, 문제의 본말을 전도하려 해서는 안될 것임.

0176

o 북한은 먼저 남북상호사찰규정 협상에 있어 부당한 주장과 비타협적인 태도를 버리고 조속한 남북상호사찰이 실시될 수 있도록 성의를 다해야 할 것이며, 이를 통해 국제사회의 북한에 대한 핵무기개발 의혹을 완전히 해소시켜야 할 것인 바, 남북상호사찰은 지연시키면서 핵재처리시설 건설 중단에 조건을 내세우는 것은 부당함.

o 남.북한간의 상호사찰 실시를 통해 북한이 핵개발에 대한 국제사회의 의혹을 불식시키고 신뢰 관계를 점차 형성해나갈 경우, 남.북한간에 원자력의 평화적 이용에 관한 협력의 구체적 방안이 강구될 수 있을 것이며, 아울러 북한이 필요로 하는 경수로 원자력 발전 기술등 관련 분야에서의 제반 국제적 지원도 기대할 수 있을 것임.

0177

(이극희)

북한의 원자로등 핵시설에 대한 안전성 문제가 제기되고 있는 바, 이에 대한 정부입장은?

o 북한 핵시설에 대한 안전 문제는 금번 IAEA 임시사찰 결과가 충분히 분석된 후 보다 정확한 평가가 가능할 것으로 생각되며, 그 평가에 따라 IAEA 차원에서 우선적으로 다루어질 수 있다고 생각함.

o 참고로 IAEA는 범세계적인 핵시설 안전 문제에 관하여 중요한 역할을 수행하고 있는 바, 86년 Chernobyl 원전 사고후 IAEA가 주도하여 '핵사고 또는 방사능 긴급 사태시 지원에 관한 협약'이 채택.발효된 바 있음.

o 우리나라는 이 협약에 90. 6. 8. 가입하였으나, 북한은 86. 9. 26. 서명한 후 아직 비준 조치를 취하지 않아 아직 당사국이 아닌 상태인 바, 북한은 우선 이 협약의 비준 조치를 취하고 관련된 모든 시설에 대하여 IAEA의 충실한 안전 검사를 받아야 할 것임.

o 남.북한간에는 우선 상호사찰을 통해 상대방의 핵관련 시설등을 확인.검증함으로써 핵문제에 대한 의혹을 해소하는 것이 1차적 과제이며, 그런 연후에 사찰 결과에 따른 시정 조치와 함께 핵시설 안전 문제에 대한 협력 문제가 검토될 수 있을 것으로 생각함.

0178

북한은 최근 실시된 IAEA 임시사찰 결과, 북한에 대한 핵개발 의혹이 어느 정도 해소되었으며, 또 IAEA 사찰이 계속 실시될 것이라는 주장하에 남북상호 사찰을 계속 회피할 것으로 보이는데 이에 대한 우리정부의 입장은 ?

o 우리는 IAEA 핵사찰과 남북상호사찰이 그 차원을 달리하고 있음을 유의해야 함. 즉 IAEA 핵사찰은 핵무기비확산조약(NPT) 당사국이면 어느 국가나 받아야 하는 의무인 반면, 남북상호사찰은 지난 91. 12. 31. 채택된「한반도 비핵화에 관한 공동선언」에 따른 의무 이행임. 따라서 IAEA 핵사찰을 받았기 때문에 남북상호사찰이 필요없다고 주장하는 것은 상호 별개의 의무 사항을 혼동하고 있는 것임.

o 또한 우리는 IAEA 핵사찰제도의 한계성에 주목할 필요가 있음. 즉, IAEA 핵사찰이라는 것은 피사찰국이 보고서상으로 신고한 시설 및 물질에 대해서만 사찰이 실시되는 것으로서 만약 피사찰국이 핵무기개발에 결정적인 시설이나 물질을 은닉할 의도가 있다면 이를 사찰대상에서 제외시킬 수가 있음.

0179

o 혹자는 이 같은 문제를 IAEA의 특별사찰을 통하여 해결할 수 있다고 주장할 수 있겠으나, IAEA 특별사찰이라는 것도 첫째, IAEA가 특별사찰을 실시하기 위하여는 미신고 시설 또는 물질의 존재 여부에 대해 증거를 제시해야 하는 거증책임의 부담이 있고, 둘째, 특별사찰 실시에 대하여 IAEA 회원국간에 공감대를 형성하고 피사찰국으로 하여금 특별사찰을 수용토록 설득해야 하는 정치적 어려움이 있을뿐만 아니라, 특별사찰 실시 결정과 실제로 특별사찰이 실시되기 까지 상당 기간의 시일이 소요됨으로써 피사찰국으로 하여금 관련시설이나 물질을 은닉할 수 있는 시간적 여유를 주는등 피사찰국이 진정으로 핵무기개발 의도를 갖고 있을 경우 이를 저지하기가 용이하지가 않음.

o 이러한 관점에서 우리는 남북상호사찰이 IAEA 핵사찰을 효과적으로 보완할 수 있는 제도라고 확신함. 특히 지난 6. 16(화) IAEA 이사회시 Blix 사무총장도 IAEA 핵사찰은 핵투명성의 한가지 형태에 불과하며 제도적.제한적이기 때문에 쌍무적 차원에서 투명성을 보여주는 것이 사찰의 완전성을 기하고 핵개발 의혹을 해소하는데 긴요함을 강조한 바 있음.

0180

o 뿐만 아니라 남북기본합의서 정신에 따라 현재 남북이 나라와 나라사이의 관계가 아닌 통일을 지향하는 잠정적 특수관계에 있음을 감안할때, 국제기구와 같은 제3자에 의존하지 않고 남북 스스로가 비핵화 공동선언상의 의무를 직접 이행함으로써 핵문제를 해결하는 것이 기본합의서 정신에 충실한 것일뿐만 아니라 이로써 남북 상호간 신뢰구축에 크게 기여할 것임.

o 정부는 북한의 핵무기 개발의혹을 해소하기 위해서는 남북상호사찰이 필수적이라고 생각하고 있으며 남북상호사찰이 실시되지 않고는 대북 경협 보류 등 남북한 관계의 실질적 진전은 불가능하다는 기본입장을 견지하고 있음. 따라서 정부는 남북핵통제공동위원회 회의를 조속 개최하여 남북 상호사찰규정을 마련하는데 최선의 노력을 경주할 것임. 또한 미.일 및 EC 국가등도 그들의 대북한 관계개선으로 남북상호사찰 실시가 전제조건화 하고 있으므로 북한도 남북상호사찰이 요구되는 엄연한 현실을 직시하지 않으면 안될 것임.

- 끝 -

0181

조
— 관리.

관리번호 92-380

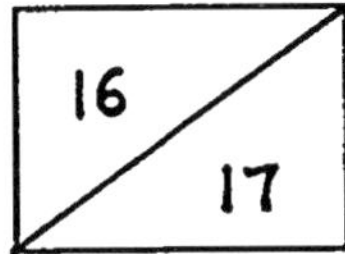

長 官 報 告 事 項

報 告 畢

1992. 6.23.
美 洲 局
北 美 1 課(68)

題 目 : Taylor CSIS 副所長 訪韓 日程

6.23 - 29간 訪北後 6.30 - 7.5간 訪韓 豫定인 William Taylor CSIS 副所長의 主要 滯韓 日程과 同人 訪北時 主要 豫想活動等 關聯事項을 아래 報告드립니다.

1992.12.31.에 예고문에 의거 일반문서로 재분류됨

1. 主要 滯韓 日程

   o 6.30 (화) 20:30 CA 420편 서울 도착(숙소 : Hilton 호텔)

   o 7. 1 (수) 10:30 미주국장 면담 (반기문 특보 동석)
   18:30 CSIS 주최 리셉션

   o 7. 2 (목) 오 전 방북결과 설명 및 한국 국방연구원과의 간담회
   12:00 유혁인 한국 국제교류재단 이사장 오찬

   o 7. 3 (금) 주한 미 상공회의소 조찬연설 (북한의 안보와 경제)
   12:00 정세영 현대 회장 주최 오찬

   o 7. 5 (일) 14:35 UA 808편 이한

2. 訪北時 活動關聯 參考事項

   o 방북시 김정우 대외 경제협력부장 및 오진우 인민 무력부장 면담 예정
     - 북한 경제 현황 파악 (미 기업들의 대북경협에 대한 관심)
     - 군축문제에 관한 북측 인식 제고 (탱크공장 방문 요청)
     - 걸프전시 교훈 및 미군 무기체제의 우월성 설명 예정
       ※ GE 등은 북한의 원자력 기술 도입 가능성에 관심

   o Bollmer CSIS 수석 연구원 부부, 부인 및 아들 수행중

3. 言論對策

   o 동인 면담후 주요내용 출입기자단에 설명 예정. 끝.

0182

공　　란

관리번호 92-383

외 무 부

종 별 :

번 호 : USW-3182 일 시 : 92 0623 1900

수 신 : 장 관 (미일,미이,동구일,정안,경일)

발 신 : 주 미 대사

제 목 : 미.러 정상회담 결과 BRIEFING

연: USW-3106

표제건 금 6.23. 오전 (10:15-10:45) 백악관 영빈관에서 주재공관장 초치하에, 대통령 특별보좌관 DR. HEWIDD 가 아래 요지 설명함.(김봉규 공사가 본직을 대리 참석)

1. 양국 정상회담 총평

가. 양국정상은 2 일간 매우 우호적이고 솔직한 분위기속에서 양자문제, 지역문제에 관하여 집중 협의함.

나. 동 정상회담은 매우 성공적이었다고 평가함.

2. 주요 성과

가. 핵무기 감축 합의

- 양국 외무장관간 장기간 협상을 통해서도 합의에 도달치 못했던 난제를 시원하게 해결하였음.

- 따라서 전략핵무기와 핵탄두 감축을 통하여 군비경쟁의 종식을 기하고 양국관계의 강화가 기대됨.

- 이로써 오랜동안의 국제사회를 지배해 왔던 냉전시대의 종막을 초래함.

나. 경제관계의 증진.강화

- 러시아의 경제개혁 의지를 확인하고 이의 성공을 위한 양자 협력 합의

- 경제정책 조정을 위한 상호 협력

- 러시아의 경제발전, 안정을 위한 지원확인 (G-7, IMF)

- 러시아의 경제구조 개편을 위한 WORLD BANK 협조

다. 양자관계 증진

- 러 중소기업 활성화를 위한 민간교류 증대

미주국 장관 차관 1차보 미주국 구주국 경제국 외정실 분석관
청와대 안기부

0184

PAGE 1 92.06.24 10:23

외신 2과 통제관 BX

- 미국의 PEACE COPRS 를 통한 상호이해 증진

- 양국 국민의 교류자유화 촉진

- COCOM 제한 해제-HIGH TECH 도입 허용

- 우주항공 상호협력(SPACE COOPERATION AGREEMENT)

. 우주항공사 상호교류, 상업위성, 우주선등

라. 지역문제에 대한 심도있는 협의와 협력합의

- 중동평화 협상 진전을 위한 상호 협력

- 유고문제 해결을 위한 의견 교환

- GLOBAL DEFENSE STRATEGY 정보교환

3. 결론

가. 양국 정상간의 우호 협력관계 확립

나. 제분야에 대한 공개적 협력분위기 조성

다. 옐친 대통령은 매우 적극적이고 개방적 접근방법을 통하여 BUSH 대통령으로 하여금 대러 지원의사를 강력히 표시토록 하는등 금번 정상회담에서 기대 이상의 성과를 거두었음.

라. 결론적으로 금번 정상회담은 양국에게 모두 매우 성공적인 회담이었음. 끝.

(대사 현홍주-국장)

예고: 92.12.31. 일반

PAGE 2

0185

92－25

主要國際問題分析

IAEA 核査察 以後의 北韓 核問題

92. 6. 24

外　　務　　部
外交安保研究院

0186

92-25 92. 6. 24

主要國際問題分析

IAEA 核査察 以後의 北韓 核問題

— 內 容 —

1. 北韓의 IAEA 사찰 受容
2. IAEA 臨時査察에 관한 評價 및 問題點
3. 南北 相互査察에 관한 展望
4. 結語 : 韓國의 對應方向 및 考慮事項

本 資料는 韓國外交政策 立案의 參考資料로 作成한 것으로서 外務部의 公式立場과는 無關한 것입니다.

0187

IAEA 核査察 以後의 北韓 核問題

北韓이 **IAEA 臨時査察**을 **受容**하고, 앞으로도 계속 **IAEA 定期査察**을 받아들일 것임을 표명하고 있는 현재, **韓國**의 **對北韓 核政策**은 중대한 국면에 접어들었슴.

IAEA 臨時査察의 결과, **北韓**의 **原子力 計劃** 및 **施設**이 상당히 밝혀지고 있으며, **核武器 開發**을 시도하고 있었음은 거의 확실하다고 볼 수 있슴. 더욱이 북한이 **weapon-grade**의 플루토늄을 추출·은닉하고 있을 가능성도 배제할 수 없는 형편임. 따라서 **IAEA** 사찰의 결과만으로 핵무기 개발을 포기했다고 보기 어려우며, 오히려 **核武器 開發**의 의혹이 심화되는 측면이 있음을 지적하지 않을 수 없슴. 더욱이 **IAEA 査察**은 신고된 시설에 한하여 사찰이 행하여진다는 결정적 한계가 있슴. **IAEA 臨時査察**의 결과로서 드러난 의혹점을 해결하기에는 **IAEA** 사찰만으로는 미흡하다 하지 않을 수 없슴. 현 **IAEA 査察制度**의 **限界性**에 비추어 볼 때, **韓半島**의 **非核化**를 보장하기 위해서 **南北相互査察**이 반드시 실행되어야 함.

南北相互査察이 **IAEA**사찰의 제한성을 보완하고 **韓半島 非核化**를 위한 투명성, 안정성 및 예측성을 보장하는 의미있는 제도가 되기 위해서는, i) 민간 및 군사시설을 불문하고 남북의 모든 핵관련 활동을 정기적으로 사찰할 수 있도록 제도화되어야 하며, ii) 신고유무에 관계없이 어떠한 의심스런 장소도 언제라도 사찰할 수 있는 「**特別**

1

0188

(不時)査察」의 개념이 반드시 도입되어야 하며, iii)공정성을 보장하는 相互主義 原則이 존중되어야 함.

이와 같은 철저한 検證體制에 대하여 北韓이 순순히 응할리 없으며, 특히 軍事施設의 공개 및 特別査察에 대하여 北韓은 크게 저항할 것으로 예상됨. 따라서, 북한이 꺼려하는 철저한 査察體制를 관철하려면 南北關係의 상당한 냉각과 진통이 예상되며, 애써 마련된 南北對話가 진전을 보지 못하고 장기간 공전되지 않을 수 없슴. 그러나 特別査察 등 철저한 相互査察制度가 관철되지 않으면, 相互査察은 北韓의 외형적 결백만을 확인해 줄 뿐 北韓의 은밀한 核武器 開發을 저지할 수 없을 것임.

北韓의 IAEA 사찰 수용은 자발적으로 행하여졌다기 보다는 한국과 國際社會의 協力과 調整을 바탕으로 한 끈질긴 압력과 회유의 결과임에 비추어 철저한 南北相互査察體制의 관철 여부도 결국 끈질긴 압력과 회유에 입각한 일관된 우리의 대응에 있는 것임.

2

0189

1. 北韓의 IAEA 査察 受容

가. 核安全協定 調印 및 批准

(1) 北韓은 1985년 NPT條約에 가입한 이래 6년간이나 끌어오던 核安全協定을 1992. 1. 30 조인하였습. 이어 92. 2. 25 IAEA 定期理事會에서 北韓의 오창림 대표는 「4월 비준, 6월 사찰 수용」 가능성을 시사하면서 「4월에 비준하면 5월말까지 목록을 제출하고 IAEA가 빨리 사찰을 원하기 때문에 6월초에는 사찰이 가능하다」고 말하여 核査察의 구체적 일정을 밝힌 바 있습.

(2) 따라서 北韓은 지난 4. 10 核安全協定을 비준하였으며, 이에 따라 核安全協定은 발효되었습.

나. 最初 報告書 提出

(1) 北韓은 核安全協定 발효에 따라 자신이 보유하고 있는 核施設 및 핵물질에 관한 목록을 지난 5. 4 IAEA에 제출하였습.

(2) 北韓은 IAEA에 대한 최초 보고서 제출 전인 4. 9 最高人民會議에서 최학근 原子力工業部長이 원자로 건설 사실을 처음으로 시인하였으며, 美國 및 日本 專門家 및 기자들에게 核施設 현황에 대하여 밝힌 바 있습.

3

0190

(3) IAEA에 제출된 최초 보고서에서 北韓은 보유 核물질 및 核施設을 신고했슴. 이에 따르면 북한은 지난 1978년 이후 IAEA의 사찰을 받아온 영변 핵물리학 연구소의 연구용 원자로 및 임계시설 외에,

i) 金日成 大學의 준임계시설(sub-critical facility) 1기

ii) 영변 核연료봉제조 공장(nuclear fuel rod fabrication plant) 및 저장시설

iii) 영변의 5MW급의 실험용 원자력발전소(experimental nuclear power reactor) 1기

iv) 평산, 박천의 우라늄 광산

v) 순천 등 우라늄 정련공장(plants for the production of uranium concentrate) 2기

등을 보유하고 있슴.

(4) 또한 건설중인 시설로서,

i) 우라늄 및 플루토늄 분리연구, 폐기물관리와 기술자 훈련을 위한 방사화학 실험실 (radio-chemical laboratory, 영변 소재) 1기

ii) 영변의 50MW급 원자력 발전소 1기

iii) 태천의 200MW급 원자력 발전소 1기

iv) 신포에 계획중인 635MW급 원자력 발전소 3기

등을 신고하였슴.

(5) 北韓은 한편 자국이 보유하고 있는 핵물질에 대해서도 신고했으나 IAEA 규정상 비밀로 분류되어 있기 때문에 밝혀지지 않았슴.

그러나 北韓은 IAEA에의 최초 보고서 제출에 즈음하여 美國의 카네기財團 訪北團 및 日本 記者團에게 보유 핵물질에 관한 정보를 제공하였음. 북한은 특히 플루토늄을 추출한 사실을 밝혔으나, 1987년부터 가동한 영변의 3만Kw급 원자로(북한 주장은 발전출력으로 5,000Kw)로부터는 사용후 핵연료(spent fuel)를 하나도 추출하지 않았다고 주장하였음.

다. 臨時査察(Ad Hoc Inspection)

(1) IAEA는 北韓이 제공한 최초 보고서의 내용을 확인하기 위하여 7명의 사찰관이 5. 25~6. 6까지 북한을 방문하여 핵시설들을 사찰하였음. 이에 앞서, 北韓은 한스 블릭스(Hans Blix) IAEA 사무총장을 초청하여 영변의 핵시설들을 방문하도록 하였음.

(2) 임시 사찰의 결과를 토대로 북한과 IAEA는 92. 7. 9까지 사찰대상 및 실질적 정기사찰의 방법에 관한 보조 약정을 체결하게 될 것임.

(3) 일단 북한은 IAEA 核査察과 관련하여 성의있는 태도를 보였으며 최초 보고서 기재 여부와 관계없이 IAEA 관계자가 희망하는 장소와 시설을 방문할 수 있음을 약속하였음.

(4) IAEA는 추가의 臨時査察團을 조만간 북한에 파견할 것이며 査察團의 방문시 보조약정이 체결될 것으로 기대됨.

2. IAEA 臨時査察에 관한 評價 및 問題點

한스 블릭스 사무총장의 방북 및 IAEA 臨時査察의 결과 북한의 원자력 계획의 내용을 상당히 알 수 있게 되었으며, 核武器 開發을 시도하고 있었음은 거의 확실하다고 볼 수 있슴. 문제의 촛점은 북한이 과연 核武器 開發을 중단했는가에 모아지고 있슴. 불행히도 IAEA 査察의 결과만으로 核武器 開發을 포기했다고 보기에는 어려우며, 더욱이 核武器 開發의 의혹이 심화되는 측면이 있음을 지적하지 않을 수 없슴.

가. IAEA의 사찰에 따른 의문점

(1) 北韓은 IAEA 臨時査察에서 밝혀진 핵관련 시설의 용도에 대하여 원자력 에너지와 핵순환 주기 연구 등의 원자력의 평화적 이용을 위한 것임을 설명하고 있슴. 그러나 영변의 북한 핵관련 시설에 관한 한, 평화적 이용보다는 플루토늄 생산을 위한 일괄공정을 갖추는데 초점을 두고 있음을 알 수 있슴. 특히 의심을 받아오던 영변의 거대한 시설이 핵연료재처리시설로 밝혀짐으로써 북한의 核 프로그램은 核武器 開發을 의식한 것이었음이 명백해졌슴.
더우기 IAEA 임시사찰의 결과, i) 별도의 소형 재처리 시설의 존재 가능성, ii) 사용후 핵연료의 행방, iii) 추출한 플루토늄의 量 등과 같은 의문점이 核武器 製造와 관련하여 北韓의 해명이 불충분하며, 그 결과 핵의혹은 여전히 풀리지 않고 있는 실정임.

(2) 再處理施設 問題

o IAEA 査察의 결과, 北韓은 使用後 核연료를 재처리할 수 있는 능력을 보유하고 있음이 명백해졌슴. 북한이 주장하는 영변의 방사화학실험실은 5층 높이의 길이 180m, 폭 20m가 넘는 거대한 시설로서 한스 블릭스 사무총장은 「완공되고 운영될 경우, 우리의 용어로는 틀림없이 재처리 시설일 것이다」라고 지적한 바 있슴.

o 시설의 규모로 볼 때,특히 플루토늄을 추출하는 핫셀(Hot Cell)의 규모로부터 이 시설은 대량의 플루토늄 생산용으로 분류할 수 있을 것임. 아직 완공된 단계는 아니지만 북한은 이미 이 시설을 이용하여 소량의 플루토늄을 추출하였슴.

o 이 再處理施設은 현재 北韓의 원자력 산업의 수준 및 규모를 고려할 때 核에너지의 평화적 이용과는 상당히 거리가 있으며, 核폭탄 제조를 위한 核분열물질을 생산하는 시설로 밖에는 생각할 수 없는 것임.

o 영변의 재처리 시설은 「韓半島 非核化 共同宣言」의 명백한 위반이지만 일단 IAEA의 사찰하에 있게 됨으로써 군사적 목적으로 轉用은 거의 불가능하게 되었슴. 그러나 영변의 재처리시설과 같은 대규모 시설을 건설하기 위해서는 반드시 소규모의 실험 시설(Pilot Plant)을 거쳐야한다는 것이 상식임. 따라서 영변의 대규모 시설 외에 별도의 소규모 재처리 시설이 북한내에 존재하는 것으로 볼 수 있슴.

o 北韓은 再處理 技術을 순수 실험실 연구, 문헌연구, 관련 장비 실험 및 우라늄·플루토늄 분리 고방사능 실험을 통해 축적했다고 주장하였슴. 이렇게 제한된 기술만을 갖고 특히 소규모의 실험시설도 거치지 않고 바로 대규모의 재처리 시설을 건설했다는 것은 납득가지 않는 부분이며, IAEA측도 기초적인 우라늄·플루토늄 분리실험 단계에서 대규모 방사화학 실험실 건설로 건너 뛰게 된 정치적 결정에 대해 추가설명을 요청하고 있슴.

o 결국 北韓은 소규모의 재처리공장을 보유하고 은폐하고 있을 가능성이 상당히 높음. 비록 소규모의 시설일지라도 1년에 核폭탄 1개분의 플루토늄을 추출할 수 있으며, 1945년 나카사키에 떨어진 최초의 플루토늄 핵폭탄의 경우 바로 소규모의 실험시설에서 추출한 플루토늄을 이용했던 점을 주목해야 함.

(3) 使用後 核연료의 行方

o 北韓은 현재 2기의 원자로를 영변에서 운영중임. 소련이 제공한 연구용 원자로(IRT-2000)의 경우는 IAEA가 사찰하여 왔으므로 군사적 목적으로 사용할 수 없는 것임. 문제는 열출력 3만Kw급 원자로임. 흑연 감속형 가스냉각식의 이 원자로는 지난 1986년 완공되어 1987년부터 가동되어 왔슴.

o 따라서 원자로부터 플루토늄을 추출할 수 있는 상당량의 사용후 핵연료가 나왔으며, 이론상으로는 15~24Kg의 플루토늄(나카사키型폭탄 2-3개분)을 추출할 수 있는 사용후 핵연료를 축적할 수 있는 것임.

o 그러나 北韓은 원자로의 가동이 기술상의 문제 등으로 때때로 중단되어 왔기 때문에 처음 들어간 核연료봉이 그대로 원자로 속에 있으며 사용후 핵연료가 없음을 주장하였음. 그러나 영변 지역을 관찰해 온 서방측 정보에 따르면 지난 5년간 원자로가 고출력으로 가동되어 왔음을 확인하고 있음. 따라서 플루토늄을 추출할 수 있는 사용후 핵연료가 존재하지 않는다는 북한의 주장은 상당한 무리가 따르는 것임. 결국 북한이 사용후 핵연료를 숨겼을 가능성을 배제할 수 없음.

(4) 플루토늄 抽出問題

o 北韓은 3만Kw급 원자로에서 고장난 연료봉을 꺼내어 방사화학 연구실의 핫셀에서 소량의 플루토늄을 분리·추출하였다고 밝힌 바 있음. 그러나 문제는 그 量이 北韓의 주장대로 극소량인가 여부임.

o 北韓이 추출한 플루토늄량을 확인할 방법은 없으며 북한의 주장을 받아들이기에는 강한 의문점이 남음. 단지 현재 분명한 것은 영변의 재처리시설에서 플루토늄을 추출했다는 점임.

(5) 이상과 같은 의문점들을 고려할 때, 北韓의 核武器 開發疑惑이 IAEA 臨時査察로 전면 해소될 수 없는 것임. 1987년부터 가동한 원자로로부터의 사용후 핵연료가 없고, 영변 재처리시설에서 플루토늄을 추출한 흔적이 있다는 점을 고려할 때, 北韓이 核폭탄 2-3개분의 Weapon-grade의 플루토늄을 보유하고 있을 개연성을 배제할 수 없음.

9

0196

나. 評價 및 問題點

(1) 北韓이 IAEA 査察을 받아들이고 특히 영변의 대량생산용의 재처리 시설을 사찰대상으로 신고한 이상, IAEA의 定期査察을 성실히 받아들인다는 전제하에 核武器의 양산에 의한 核武裝은 거의 불가능하게 되었슴. 또한 IAEA 査察의 수용으로 최소한 북한의 核武裝의 속도를 상당히 늦출 수 있게 되었슴.

(2) IAEA는 核武器擴散을 막는 중추적인 역할을 맡고 있으며, 核물질의 군사적 목적으로의 轉用을 막는 실질적인 査察檢證體制를 개발하여 왔슴. IAEA 査察體制는 신고된 핵관련 시설로부터 군사적 목적으로 핵물질을 전용하는 것을 효과적으로 방지할 수 있슴. IAEA 査察을 받는 시설로부터 핵물질의 불법유출은 거의 불가능함. 이라크의 경우도 IAEA 사찰하의 신고된 시설을 핵무기 개발에 사용할 수 없었슴. 만일 北韓이 모든 핵관련 시설을 IAEA에 신고하고 정기적으로 사찰을 받는다면, 핵물질의 군사적 사용을 효과적으로 막을 수 있을 것임.

(3) 그러나 IAEA 査察體制는 결정적인 한계가 있슴. 다른 무엇보다도 IAEA 査察은 신고된 시설에 한하여 행하여졌으며, 未申告施設에 대해서는 사찰이 행하여진 적이 없슴. 따라서 IAEA體制는 비밀스런 核武器 開發을 막을 수 있다기 보다는 核武器 開發의 制約(restraint) 要素라는 것이 정확한 표현일 것임. 이라크의 例는 바로 이 점을 명백히 하였슴. 즉 核擴散禁止條約에 가입하고 IAEA의 사찰을 성실히 받아온 이라크가 거의 방해받지 않고 核武器 開發 능력을 갖추어 갈 수 있었던 것임.

(4) 결국, IAEA 사찰만으로 북한의 核武器 開發을 완전히 포기시킬 수는 없는 것임. 더우기 IAEA 사찰이 시행되기 이전의 核活動에 대해서는 北韓의 설명에 의존할 수 밖에 없는 것임. 특히 北韓은 金日成 教示에 의해 모든 군사시설을 "地下化"하고 있음에 비추어 볼 때, 核武器 開發에 이용되는 모든 시설이 지상에 노출되어 있다고 보기에는 무리가 따르는 것임.

(5) 또한 앞에서 지적한 것처럼 IAEA 臨時査察의 결과로서 드러난 의혹점을 해결하기에는 IAEA 査察制度 만으로는 미흡하다 하지 않을 수 없음. 즉 별도의 再處理實驗施設(Pilot Plant)를 찾아내고, Weapon-grade의 플루토늄을 은닉했을 경우 이를 적발할 수 있는 制度的 裝置가 現 IAEA 査察制度에는 결여되어 있음.

3. 南北 相互査察에 관한 展望

가. IAEA 臨時査察에 따른 核開發의 의문점 및 현 IAEA 사찰제도의 제한성에 비추어, IAEA 사찰만으로 北韓의 核武器 開發의 의심은 풀 수 없음. 따라서 韓半島의 非核化를 보장하기 위해서는, IAEA 사찰과 함께 이를 보완하는 조속한 南北相互査察이 반드시 이루어져야 함.

나. 「韓半島 非核化 共同宣言」이 지난 2월 발효된 이래, 이를 검증하기 위한 「南北 相互査察」 규정 마련을 위해 南北 核統制 共同

委員會(JNCC)가 3월 발족한 바 있슴. 또한 JNCC 구성시 南北韓은 5월중 査察規定 마련과 6월중 相互査察 實施를 합의하였슴. 그러나 5차례에 걸친 JNCC 대표접촉 및 3차례의 위원접촉에도 불구하고 北韓의 일관된 불성실한 태도로 대화가 공전되고 있슴. 더욱이 5. 27 제5차 JNCC 代表會談에서 북한은 다음 회의를 6. 16로 제안함으로써「5월중 사찰규정 마련, 6월중 상호사찰 실시」라는 합의사항을 사실상 파기했으며, 南北相互査察 기피 자세를 여실히 드러냈슴.

다. JNCC에 있어서 南北間의 주요 입장의 차이는 다음과 같음.

(1) 南韓은 가능한 한 조속히 南北 相互査察을 실현해야 한다는 입장으로 JNCC의 실질 사찰규정을 마련하는데 집중하고 있슴. 반면, 北韓은 사찰규정을 마련하기 위해서는 履行合意書의 채택이 필요하다고 주장하고 있슴. 이러한 北韓의 주장은「非核化 共同宣言」을 되풀이하는 가운데「共同宣言」당시 북한이 철회했던「非核地帶化」논리를 슬그머니 되살린 것임. 더우기 履行合意書 問題는 지난 3월 채택된「JNCC 構成運營合意書」에서 북한이 철회했던 이슈였슴. 그럼에도 불구하고 북한이 또다시 履行合意書를 들고 나온 것은 핵심 쟁점으로 접근하지도 않고 형식문제만을 붙들고 논쟁을 끔므로써 JNCC를 공전시키고 사찰을 지연시키려는 의도로 밖에 해석할 수 없슴.

(2) 査察의 방법과 관련하여, 한국은 相互主義와 대칭성에 입각하여 남북 상호의 민간시설과 군사시설을 사찰할 것을 제안하였슴.

반면에 북한은 한국이 영변을 사찰하도록 하는 대신에 남한내의 모든 美軍基地를 시찰할 수 있도록 하는 査察案을 제안하고 있슴. 이는 모든 國際的인 軍備統制條約에서 적용되는 相互主義의 原則을 명백히 무시하는 것임. 北韓은 남측의 북에 대한 의심은 영변을 보면 해소되지만 북측의 의심은 남한내의 모든 군사기지를 동시에 전면적으로 사찰하여야 풀린다는 소위 「同時疑心解消」 原則을 내세우고 있슴.

(3) 韓國側은 非核化를 보장하는 가장 효과적 방법으로 特別(不時) 査察 (challenge inspection)을 JNCC사찰제도에 도입하려는 반면에, 北韓은 共同宣言의 범위를 넘는다는 점을 들어 特別査察을 반대하고 있슴.

라. JNCC에 있어서의 북한의 불성실한 태도는 최근 IAEA 및 國際社會에 대한 北韓의 유연한 자세와는 크게 대조되는 것임. 더욱이 그동안의 JNCC 協商過程을 보면 JNCC가 공전하는 것이 査察規定을 둘러싼 異見이라기 보다는 北韓의 계산된 遲延策으로 보는 것이 타당할 듯함. 요컨대, 北韓이 IAEA 사찰을 받게 된 이상 北韓에 대한 國際的 壓力이 느슨해질 것이며, 더욱이 南北相互査察에 대한 국제적 관심도 약해질 것이라는 판단하에, 北韓은 IAEA 사찰이 끝나고 IAEA理事會가 개최되는 시점인 6. 16까지 JNCC를 공전시키려는 계산된 행동이었슴. 그러므로써 北韓 核開發에 대한 대응 방법을 둘러싸고 남한 내부는 물론, 韓·美·日의 共助體制에 틈이 생기도록 하여 보다 유리한 입장에서 JNCC를 추진하려는 의도임.

마. JNCC사찰이 IAEA사찰의 制限性을 보완하는, 따라서 韓半島의 非核化를 보장하는 의미있는 제도가 되기 위해서는, 다음과 같은 점이 반드시 고려되어야 할 것임.

(1) JNCC 南北相互査察體制는 민간 및 군사시설을 불문하고 南北의 모든 핵관련 활동을 정기적으로 사찰할 수 있도록 制度化되어야 함. JNCC사찰의 목적은 南北韓에 의해 채택된 「韓半島 非核化宣言」의 이행 및 준수를 검증하기 위한 것임. 韓半島의 非核化 북한의 주장대로 단지 北韓의 영변과 南韓의 모든 軍事基地를 한번 동시에 사찰함으로써 실현될 수 있는 성질의 것이 아님. 非核化의 실현은 韓半島의 모든 核활동에 대한 투명성(transparency)과 예측성(predictability)를 보장하는 안정적이고 효과적인 검증 체제를 갖출 수 있느냐에 달려 있다고 보아도 과언이 아님. 따라서 南北相互査察은 정기적으로 모든 핵활동을 사찰할 수 있도록 제도화되어야 함.

(2) 定期的 現場査察과 함께, 신고 유무에 관계없이 어떠한 의심스러운 장소도 언제라도 사찰할 수 있는 「特別(不時)査察」의 개념이 JNCC 査察制度에 도입되어야 함. 남한이 북한의 핵무기 개발계획과 그것을 감출 가능성에 대해 강한 의심을 갖는 반면, 북한은 여전히 남한내 美核武器가 배치되어 있다고 주장하고 있음. 따라서 JNCC 사찰은 南北韓이 갖는 차원이 다른 의심을 해소할 수 있는 二重的 檢證體制가 필요함. 즉 核武器 開發을 통제하는 IAEA와 같은 査察體制와 一般的 軍備統制의 사찰체제를 동시에 충족해야 할 필요성이 있음. 換言하면, 南北相互査察體制는 군사

기지에 대한 사찰 뿐만 아니라 핵무기 개발을 막도록 구축되어야 하는 것임. 이를 위해서는 언제, 어느 곳이든 사찰할 수 있는 特別査察이 가장 효과적임. 特別査察의 도입없이는 韓半島의 非核化의 효과적인 검증을 기대할 수 없을 것임. 또한 國際的인 軍備統制 사찰 경험에서 입증되었듯이, 特別査察은 核武器 開發과 같은 은밀한 활동을 적발하고 견제하는 효과적 수단임을 주목해야 함.

(3) JNCC사찰이 군사기지를 다루어야 하는 이상, 「相互主義」原則이 반드시 지켜져야 함. 어떠한 군비통제 조약에 있어서도 공정성(fairness)은 「相互主義」에서 비롯되는 것임. 만일 北韓의 軍事基地가 相互査察의 對象에서 제외된다면, 軍事基地는 核武器 開發 및 핵물질 은닉의 성역(sanctuary)이 될 것이며, 그 결과 「韓半島 非核化」는 보장될 수 없는 것임. 따라서 南北의 軍事基地는 동등하게 JNCC사찰의 대상이 되어야 할 것임.

바. 그러나 이와 같은 철저한 檢證體制에 대하여 北韓이 순순히 응할 수 없을 것임. 특히 軍事施設의 공개 및 特別査察에 대하여 北韓 軍部의 불만은 상당할 것이며, 북한 내부의 방침도 결정되지 않고 있는 인상임. 결국, 北韓이 꺼려하는 철저한 사찰체제를 관철하려면 南北關係의 상당한 냉각과 진통이 예상되며, 애써 마련된 南北對話의 場이 진전을 보지 못하고 장기간 공전되지 않을 수 없을 것임.

사. 그러나 特別査察을 포함한 철저한 査察體制가 관철되지 않으면, 相互査察은 IAEA 사찰의 중복으로 北韓의 외형적 결백만을 확인해 줄 뿐 북한의 은밀한 핵무기 개발을 저지할 수 없을 것임. 여기에 IAEA 사찰이후 北韓의 핵문제를 둘러싸고 韓國이 취할 對應態度가 결정되는 것임.

4. 結語 : 韓國의 對應方向 및 考慮事項

가. 北韓이 IAEA사찰을 수용하고 앞으로 계속적으로 IAEA 定期査察을 받아들일 것임을 표명하고 있는 현재, 한국이 그동안 北韓의 核武器 開發을 저지하기 위해 펼쳐 왔던 對北政策은 중대한 국면에 접어 들었슴. 北韓이 IAEA사찰에 응하게 된 것은 스스로의 결정에 의했다기 보다는 韓國의 일관된 對北對應과 美·日 등 國際社會의 共助에 의한 압력과 회유의 결과였슴. 특히 작년 이래로 北韓의 核武器 開發의 명분을 없애는 일관된 정책의 결과, 북한은 「韓半島 非核化 共同宣言」에 동의할 수 밖에 없었슴. 그 결과 南北相互査察이 의무화됨으로써, 북한 정권으로서는 보다 포괄적이고 규제적인 南北相互査察보다 IAEA사찰이 편하게 느껴졌을 것임.
결국「非核化 共同宣言」 채택 및 南北相互査察 실현을 위한 韓國政府의 움직임은 북한으로서는 적지않은 압력이었으며 북한이 IAEA 사찰을 받아들이도록 하는데 기여했다고 볼 수 있슴.

나. IAEA사찰을 받아들이고 영변의 재처리시설을 사찰의 대상으로 포함시킴으로써 北韓은 韓·美·日이 요구하던 기준을 상당히 응한 것이 사실임. 그러나 이러한 긍정적 측면에도 불구하고 北韓이 核武器 開發을 완전히 포기했다고 단정하기에는 앞에서 지적했듯이 많은 무리가 있슴.

다. 앞으로 韓國과 友邦들의 對北 核政策은 IAEA사찰 결과에 영향을 받을 수 밖에 없슴. IAEA 사찰이후 북한의 핵문제에 대한 한국의 대응은 어떠한 방향으로 추진되어야 하는지 대체로 두가지의 대응책을 생각할 수 있슴.

(1) 穩健한 對應策으로 최근 북한의 움직임을 전향적으로 평가하고 북한이 꺼려하는 철저한 相互査察體制보다는 상징적 형태의 相互査察을 추진하며 南北對話의 進展을 통한 南北 信賴構築에 의해 핵문제를 점진적으로 해결하는 방안임. 이 方案은 어렵게 마련된 基本合意書 등 南北關係를 유지하면서 南北間의 政治·軍事·交流·協力 등의 분야에서의 진전을 가져올 수 있다는 잇점이 있으나, 북한의 핵무기 개발 자체를 포기시킬 수는 없을 것임.

(2) 다른 對應策으로는 特別査察 및 相互主義의 原則에 입각한 철저한 相互査察體制를 끝까지 관철하여 非核化를 보장하는 것임. 이 경우, 南北關係가 상당기간 냉각될 수 있다는 점을 각오해야 하며, 北韓이 꺼리는 철저한 사찰을 관찰하기 위해서는 효과적인 압력 수단이 있어야 함. 특히 IAEA사찰이후 南北相互査察에 대한 國際的 關心이 낮아지는 가운데 韓·美·日의 共助體制가 무너질 경우, 철저한 相互査察體制는 관철될 수 없을 것임.

라. 核問題에 있어서의 핵심은 北韓의 核武裝이 우리의 安全保障에 최대위협 요인이라는 점임. 따라서 이 문제에 관한 한 타협이 있을 수 없슴. 다소 시간이 걸리더라도 韓半島 非核化를 보장할 수 있는 철저한 相互査察體制가 관철되도록 최대한의 노력을 기울여야 할 것임.

마. 이를 위해서는 北韓에 대한 일관된 政策이 필요하며 核問題 해결 없이는 南北關係의 進展이 어렵다는 점을 인식시켜야 함. 또한 韓·美·日의 效率的 共助體制가 무엇보다도 필요할 것임. 北韓의 IAEA 査察 受容은 자발적으로 이루어졌다기 보다는 韓國과 國際社會의 協力과 調整을 바탕으로 한 끈질긴 압력과 회유의 결과였음에 비추어 철저한 南北相互査察體制를 관철하기 위해서도 동일한 政策이 필요한 것임.

1992. 6. 24

作成 : 研究教授 尹 德 敏

討論 : 研究室長 金 國 振

研究部長 柳 錫 烈

研究教授 李 瑞 恒

整理 및 校訂 : 研 究 員 吳 炳 勳

18.

0205

KCNA - 25 June 1992

Rodong Sinmun runs an article laying bare the danger of Japan's scheme for arms buildup under its policy of overseas expansion.

International news columns of the press include reports that the senior delegate of the Chinese side to the Sino-British joint liaison group reaffirmed the basic stand of his government toward the Hong Kong problem, and Czech and Slovakia agreed to prepare for the separation of Czechoslovakia into two states.

Papers devote articles to the 17th anniversary of the independence and founding of the Republic of Mozambique and the 10th anniversary of the establishment of diplomatic relations between Korea and Malawi. -0-

062517-- History of Disaster Must Not Be Repeated.

Pyongyang June 25 (KCNA) -- June 25 is the day when the United States started a war on the Korean peninsula 42 years ago.

On this occasion, Rodong Sinmun comes out with an editorial stressing that the history of disaster must not be repeated.

If the United States, it says, does not want really the repetition of the disaster of June 25, it must rectify its old Korea policy falling behind the times and take the road of improving the DPRK-U.S. relations.

Noting that nearly 40 years have passed since the war ceased in Korea, the editorial continues:

The world situation has changed a great deal and the time, too, has changed in this historic period.

The cold war structure between the east and the west collapsed and the policy of strength has cracked up and an increasing number of countries are advancing along the road of independence against domination and subjugation.

But the legacy of the cold war era has not disappeared and confrontation and division continue on the Korean peninsula.

Pursuing a policy of interference and domination in south

- 11 - 0206

KCNA - 25 JUN 92

Korea, the U.S. imperialists are menacing peace of our country and obstructing the cause of its reunification with strength.

The United States has not only hurled tens of thousands of troops and nuclear weapons into south Korea and staged the "Team Spirit" joint military exercises, a nuclear war game, there every year, but also is demanding a unilateral nuclear inspection of the north these days, crying over the fictitious "nuclear development" by the north.

It is anachronistic of the United States to pursue the "policy of strength" as ever toward the Korean peninsula, while talking about the "end of the cold war".

It is high time the United States renounced its "policy of strength" and changed its Korean policy.

Just as the United States is an independent sovereign state, so our Republic is, and just as the United States has the right to choose its ideology, idea and system, so our Republic has it.

A party directly responsible for the Korean problem, the United States must respect the sovereignty and dignity of the DPRK, the victim, more deeply than any other country, and must not encroach upon them.

We will never abandon what has been chosen by our people under anyone's pressure nor we will stop what we should do nor we will do what we should not, yielding to anyone's threat.

If those who resort to pressure and threat have strength of their own sort, the Korean people have strength they need.

Korea belongs to the Korean people and the master in solving the Korean problem is the Korean people themselves.

The United States must pull its armed forces out of south Korea, stop interference in the internal affairs of the Korean nation and do things beneficial to peace and reunification.

북미국과 - Bill Taylor 기| KCNA - 25 Jun 92 + 가려운건인 ?u

Peace is beneficial not only to us but also to the United States and war is harmful not only to us but to the United States.

The United States must choose a beneficial road, not a harmful road, taking a realistic view of the changed international situation and the developing Asian situation today and looking forward to the future with a far sight.

If it is willing to improve the DPRK-U.S. relations from a sincere stand, not raising unjustifiable preconditions, we will not look back upon the past but look forward and will as in the past, so in the future, too, make efforts to improve the DPRK-U.S. relations.

The south Korean authorities must not try to go back to the road of war 40 odd years ago but honestly implement the inter-Korean agreement and denuclearisation declaration and thus clearly show their will for peace and peaceful reunification to the nation.

The past history of disaster must not be repeated on the Korean peninsula. No one must attempt to test us again with the second Korean war or try to force a change of course upon us who are confidently advancing along the road chosen by ourselves.

Neither the method of war nor the method of "peaceful transition" can work on us. -0-

062513 - Rodong Sinmun on Arms Buildup Hastened by Japan.

Pyongyang June 25 (KCNA) -- Rodong Sinmun today runs a by-lined article on the promulgation of the "U.N. Peacekeeping Cooperation Bill" and acceleration of arms buildup in Japan.

Recalling that arms buildup in Japan has been promoted according to the demand of overseas expansion policy from the outset, the article says:

From the 1980s the Japanese ruling quarters have pushed to the fore the development of strategic weapons, targeting the domestic production of arms at increasing the attack capacity so that they may carry out a war single-handed to

- 13 -

0208

공 란

공 란

공 란

공 란

공 란

공　　란

공 란

공 란

공 란

공　　란

공　　　　란

공 란

공 란

공　　　　란

공　　　란

공 란

공 란

공　　란

공 란

※ 보도참고자료

『核問題의 解決없이는 南北關係의 實質的 進展을 期待하기 어렵다』라고 하는 말에서,

核問題의 解決이란, 현단계에서는 核統制共同委員會에서 査察規定을 採擇하고 南北相互査察을 實現시키는 것을 의미하는 것이며,

南北關係의 實質的 進展이란, 현단계에서는 分科委員會에서 採擇하게 될 附屬合意書들을 共同委員會에서 具體的으로 實踐에 옮기는 것을 의미하며, 또한 附屬合意書 採擇 以前이라도 특정한 經濟協力事業을 推進할 수 있는 것을 의미하는 것임.

- 2 -

0228

공 란

공　　　란

공　　란

공 란

공　　　란

공 란

정 리 보 존 문 서 목 록					
기록물종류	일반공문서철	등록번호	32697	등록일자	2009-02-26
분류번호	726.61	국가코드		보존기간	영구
명 칭	북한 핵문제, 1992. 전13권				
생 산 과	북미1과/북미2과	생산년도	1992~1992	담당그룹	
권 차 명	V.6 Wolfowitz 미국 국방차관 방한, 6.25-26				
내용목차					

0001

조
— 장관면담실비

관리 번호	92 -303

원 본

외 무 부

종 별 :

번 호 : USW-2788 일 시 : 92 0602 1700

수 신 : 장관(미이,미일)

발 신 : 주 미 대사

제 목 : WOLFOWITZ 차관 방한

1. 주재국 국방부 WOLFOWITZ 차관은 6.25-26 간 한국을 비롯, 동아시아 순방을 계획중인 바, 그 내용을 하기 보고함.

검토필(1992.6.30.)

가. 일정(군용기 이용)

6.19 인도네시아 도착

6.22 말레이지아 도착

6.24 싱가폴 도착

6.24 오끼나와 도착

6.25(정오경) 오산 미공군기지 도착

6.26(정오경) 오산 출발, 동경 도착

(오산-서울-오산 구간은 헬기편 이용)

6.27 워싱턴 향발

나. 수행원

. ELLIS 제독(미국방부 국제안보지원국 동아과장)

. WOON 대령 (상기과 부과장)

. PALERMO 대령(군사문제 보좌관)

. GOLDMAN (특별보좌관)

다. 순방목적

. 동 아시아지역 정세 시찰이 주요 목적인 바, (1) 인니는 과거 3 년간 대사를 역임하였던 국가를 다시 방문(HOME-COMING) 한다는 의미가 있고, (2) 말레이지아에서는 ISIS 가 주관하는 PACIFIC ROUNDTABLE 에서의 기조연설 및 최근 CHENEY 자오간 및 LILLEY 차관보가 도오 아시아 방문시 말레이지아만 제외 하였던것을 보완한다는 의미가 있으며, (3) 싱가폴은 미국에 대한 협조를 평가할 필요가 있고,

미주국 장관 차관 1차보 미주국 분석관 정와대 안기부

0002

PAGE 1 92.06.03 08:05

외신 2과 통제관 BX

(4) 일본은 의례적인 방문이라고 함.

2. 국방부 WOON 대령에 의하면 한국 방문중에는 IAEA 사찰진행(사찰관 일행의 6.10 비엔나 귀환 및 6.15 이사회 개최) 및 남. 북 상호 사찰의 지연이라는 배경하에 핵문제에 대한 토의를 주로하는 것을 기대하고 있다하며, 이를위해 주한미국대사관(PIERCE 서기관)을 통해 대통령, 외무부장관, 국방부장관 및 김종휘수석에 대한 예방을 신청하고 있는 상태라고 함.

(대사 현홍주-국장)

관리번호 92-325

외 무 부

110-760 서울 종로구 세종로 77번지 / (02) 720-2324 / FAX (02) 720-2686

문서번호 미이 01225- 1495
시행일자 1992. 6. 4.
(경 유)
수 신 대통령비서실장
참 조 의전수석비서관

취급		장 관
보존		
국 장	전 결	
심의관	출장중	
과 장		
담 당	조준혁	협조

제 목 대통령 예방 건의

검토필(1992. 6. 30.)

주한미대사관은 Paul D. Wolfowitz 국방부 정책담당차관(Under Secretary for Policy)이 아시아 순방(6. 19~27)중 6. 25~26 양일간 한국을 방문할 예정임을 알려 오면서, 방한 기간중 동 차관의 대통령 예방을 요청하여 왔는 바, 아래와 같이 동 예방을 건의드립니다.

- 아 래 -

1. 예방 희망자 : Paul D. Wolfowitz 미 국방부 정책담당차관
2. 예방 희망 일시 : 6. 25 (목) 오후 또는 6. 26 (금) 오전
3. 방한중 주요 활동 계획 : 외무장관, 국방장관 및 외교안보수석비서관 예방, 북한 핵문제 협의

1992.12.31에 예고문에 의거 일반문서로 재분류됨

첨부 : 1. Wolfowitz 차관 인적 사항.
2. 면담 자료(추후 송부). 끝.

0004

인적 사항

o 성　　명 : Paul D. Wolfowitz

o 생년월일 : 1943.　12.　22 (당 49세)

o 학　　력 : - 1965　　코넬대학 졸업(정치학사)

　　　　　　- 1970　　시카고대학(정치학박사)

o 경　　력 : - 1970~73　　예일대학 교수(정치학)

　　　　　　- 1973~76　　군축처(ACDA) 부처장

　　　　　　- 1977~80　　국방부 지역계획담당 부차관보

　　　　　　- 1980　　존스홉킨스대학 교수(국제정치학)

　　　　　　- 1981~82　　국무부 정책기획실장

　　　　　　- 1982~86　　국무부 동아태차관보

　　　　　　- 1986~89　　주인도네시아 대사

　　　　　　- 1989~현재　　국방부 정책담당차관

o 가족사항 : 부인 및 1남 2녀

0005

EMBASSY OF THE
UNITED STATES OF AMERICA

No. 276

The Embassy of the United States of America presents its compliments to the Ministry of Foreign Affairs of the Republic of Korea and has the honor to inform the Ministry that Mr. Paul Wolfowitz, Undersecretary of Defense for Policy, will visit the Republic of Korea June 25-26, 1992, for consultations with Republic of Korea Government officials.

Mr. Wolfowitz will be accompanied by Rear Admiral Robert L. Ellis, USN, Director, East Asia/Pacific; Colonel Eden Woon, USAF, Deputy Director, East Asia and Pacific Region, Office of the Assistant Secretary of Defense for International Security Affairs; Colonel Anthony M. Palermo, USMC, Military Assistant to the Undersecretary; Mr. Andrew R. Goldman, Special Assistant to the Undersecretary; Ms. Penelope R. O'Brien, Confidential Assistant to the Undersecretary; and Chief Jeffrey Karwisch, USN, Communications Officer.

The Embassy of the United States of America requests the assistance of the Ministry in arranging visits for Undersecretary Wolfowitz, and members of his official delegation, with President Roh Tae Woo, National Security Adviser Kim Chong Hwi, and with the Ministers of Foreign Affairs and National Defense.

0006

Undersecretary Wolfowitz is scheduled to arrive at Osan Air Base on Thursday, June 25 at 11:55 a.m. on military aircraft, and depart on Friday, June 26, at 12:00 noon.

The Embassy of the United States of America avails itself of this opportunity to renew to the Ministry of Foreign Affairs of the Republic of Korea the assurances of its highest consideration.

Embassy of the United States of America

Seoul, June 5, 1992

0007

DRAFT 6/5/92 3PM

TENTATIVE
SCHEDULE FOR THE VISIT TO KOREA OF
PAUL WOLFOWITZ
UNDERSECRETARY OF DEFENSE FOR POLICY
JUNE 25-26, 1992

THURSDAY JUNE 25

11:55 AM	ARRIVE OSAN AIR BASE FROM OKINAWA VIA MILAIR MET BY ESCORT OFFICER PROCEED VIA USFK HELO TO H-208, YONGSAN BASE
12:45 PM	ARRIVE H-208, YONGSAN BASE, SEOUL PROCEED TO AMBASSADOR'S RESIDENCE VIA LIMO
1:00 PM	LUNCHEON HOSTED BY AMBASSADOR GREGG DISCUSSION OF ISSUES FOLLOWS
3:30 PM	MEETINGS WITH MINISTER OF NATIONAL DEFENSE CHOI SAE-CHANG AND MINISTER OF FOREIGN AFFAIRS LEE SANG-OCK
5:30 PM	PROCEED TO HILTON HOTEL PERSONAL TIME
7:00 PM	DINNER HOSTED BY MINISTER OF NATIONAL DEFENSE CHOI SAE-CHANG

RON HILTON HOTEL, SEOUL

FRIDAY, JUNE 26

7:00 AM	BREAKFAST MEETING WITH CINC RISCASSI PLACE TBD DISCUSSION OF OPLANS FOLLOWS
9:00 AM	MEETINGS AT BLUE HOUSE NATIONAL SECURITY ADVISOR KIM CHONG-WHI PRESIDENT ROH TAE WOO
11:00 AM	DEPART FOR H-208 YONGSAN BASE
11:20 AM	DEPART H-208 FOR OSAN AIR BASE VIA USFK HELO
12:00 NOON	DEPART OSAN AIR BASE FOR TOKYO VIA MILAIR

POL16653

0008

관리 번호 92-332

외 무 부

110-760 서울 종로구 세종로 77번지 / (02) 720-2324 / FAX (02) 720-2686

문서번호 미이 01225-1516
시행일자 1992. 6. 8.
(경 유)
수 신 국방부장관
참 조 의전실장

취급		장 관	
보존			
국 장	전 결		
심의관			
과 장			
담 당	조준혁		협조

제 목 미국방차관 방한

주한미대사관은 별첨 공한을 통해 Paul D. Wolfowitz 국방부 정책담당 차관(Under Secretary for Policy)이 아시아 순방중 6.25-26 양일간 방한할 예정임을 알려 오면서, 동 차관의 방한 기간중 귀부 장관을 예방할 수 있기를 희망하여 왔는 바, 동 예방이 이루어질 수 있도록 협조하여 주시기 바랍니다.

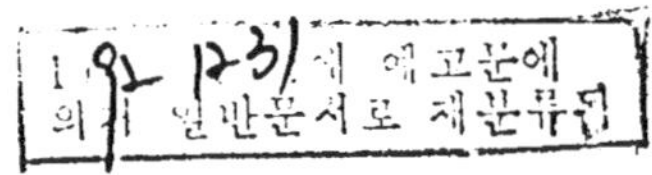

첨 부 : 상기 주한미대사관 공한 사본 1부. 끝.

0009

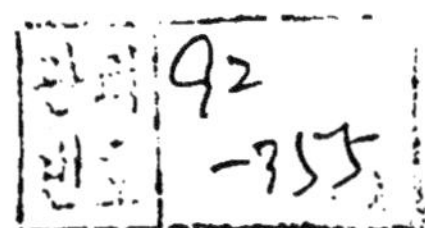

長 官 報 告 事 項

報告畢

1992. 6. 15.
北 美 2 課 (46)

題 目 : 美國防次官 訪韓

Paul D. Wolfowitz 미국방부 정책담당차관(Under Secretary of Defense for Policy)이 6. 25~26 양일간 방한할 예정인 바, 방한 일정등 관련 사항 아래 보고드립니다.

1. 방한 목적 : 아시아 순방(6. 19~27)의 일환(방문국 : 인니, 말련, 싱가폴, 일본)

2. 방한 주요 일정

o 6. 25(목)

13:00	Gregg 대사 주최 오찬(관저) 참석
15:00	국방장관 예방
16:00	외무장관 예방
19:00	국방장관 주최 만찬 참석

o 6. 26(금)

08:00	외교안보수석 주최 조찬 참석
10:00	대통령 예방(잠정)
12:00	이한

- 1 -

0010

3. 수행원 (5명)

- Robert L. Ellis　　　국방부 국제안보국 동아태과장(해군 소장)
- Eden Woon　　　　　국방부 국제안보국 동아태담당(공군 대령)
- Anthony M. Palermo　군사문제 보좌관
- Penelope R. O'Brien　비서관(여)
- Jeffrey Karwisch　　통신관

4. 언론 대책 : 금주중 외무부 출입기자단에 동 차관의 방한 계획과 예방 일정 등을 사실대로 통보함.

- 오늘 조선일보에 1면 톱기사로 보도되었는데
어떻게 된 것인지?

첨부 : Wolfowitz 차관 인적 사항 1부.　끝.

인적 사항

o 성 명 : Paul D. Wolfowitz

o 생년월일 : 1943. 12. 22 (당 49세)

o 학 력 : - 1965 코넬대학 졸업(정치학사)

- 1970 시카고대학(정치학박사)

o 경 력 : - 1970~73 예일대학 교수(정치학)

- 1973~76 군축처(ACDA) 부처장

- 1977~80 국방부 지역계획담당 부차관보

- 1980 존스홉킨스대학 교수(국제정치학)

- 1981~82 국무부 정책기획실장

- 1982~86 국무부 동아태차관보

- 1986~89 주인도네시아 대사

- 1989~현재 국방부 정책담당차관

o 가족사항 : 부인 및 1남 2녀

사본접수처: 독후 파기

: 장 관, 차 관, 제1차관보

0012

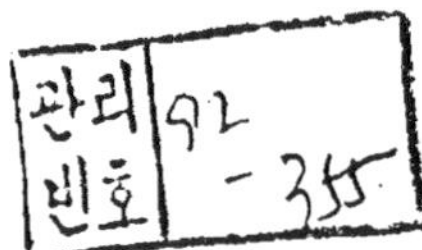

長 官 報 告 事 項

報 告 畢

1992. 6. 15.
北 美 2 課 (46)

題 目 : 美國防次官 訪韓

Paul D. Wolfowitz 미국방부 정책담당차관(Under Secretary of Defense for Policy)이 6. 25~26 양일간 방한할 예정인 바, 방한 일정등 관련 사항 아래 보고드립니다.

1. 방한 목적 : 아시아 순방(6. 19~27)의 일환(방문국 : 인니, 말련, 싱가폴, 일본)

2. 방한 주요 일정

   o 6. 25(목)

13:00	Gregg 대사 주최 오찬(관저) 참석
15:00	국방장관 예방
16:00	외무장관 예방
19:00	국방장관 주최 만찬 참석

   o 6. 26(금)

08:00	외교안보수석 주최 조찬 참석
10:00	대통령 예방(잠정)
12:00	이한

0013

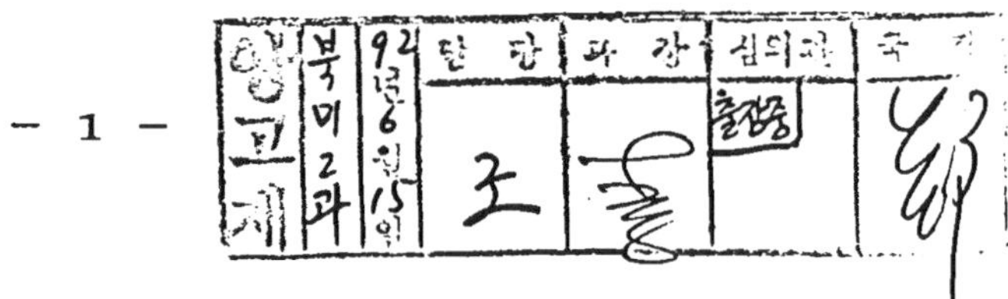

3. 수행원(5명)

- Robert L. Ellis 국방부 국제안보국 동아태과장(해군 소장)
- Eden Woon 국방부 국제안보국 동아태담당(공군 대령)
- Anthony M. Palermo 군사문제 보좌관
- Penelope R. O'Brien 비서관(여)
- Jeffrey Karwisch 통신관

4. 언론 대책 : 금주중 외무부 출입기자단에 동 차관의 방한 계획과 예방 일정 등을 사실대로 통보함.

첨부 : Wolfowitz 차관 인적 사항 1부. 끝.

Paul D. Wolfowitz 미국방차관 접견자료

1992. 6. 23.

미 주 국

0015

I. 접견 개요

o 일　　시 : 92. 6. 25(목)　16:00

o 예 방 자 : Paul D. Wolfowitz 미국방부 정책담당차관
(Under Secretary of Defense for Policy)

o 배　　석 : - 우리측 (4명)

. 공로명　외교안보연구원장

. 반기문　장관특별보좌관

. 정태익　미주국장

. 이호진　북미2과장

- 미　측 (7명)

. Donald P. Gregg 주한미대사

. Robert RisCassi 주한미군사령관

. Robert L. Ellis 국방부 국제안보국 동아태과장(해군준장)

. Anthony M. Palermo 군사보좌관(해병대령)

. Eden Woon 국방부 국제안보국 동아태담당(공군대령)

. E. Mason Hendrickson 주한미대사관 정무참사관

. Thomas A. Marten 주한미대사관 2등서기관

II. 인적사항

o 생년월일 : 1943. 12. 22 (당 49세)

o 학　　력 : - 1965　코넬대학 졸업(정치학사)
- 1970　시카고대학(정치학 박사)

o 경　　력 : - 1970~73　예일대학 교수(정치학)
- 1973~76　군축처(ACDA) 부처장
- 1977~80　국방부 지역계획담당 부차관보
- 1980　존스홉킨스대학 교수(국제정치학)
- 1981~82　국무부 정책기획실장
- 1982~86　국무부 동아태 차관보
- 1986~89　주인도네시아대사
- 1989~현재　국방부 정책담당 차관

o 가족사항 : 부인 및 1남 2녀

공 란

공 란

공 란

공　　　란

Wolfowitz 미국방차관 방한

1. 방한 주요 일정

o 6. 25 (목)

15:00 국방장관 예방

16:00 외무장관 예방

19:00 국방차관 주최 만찬

o 6.26 (금)

07:30 외교안보수석 주최 조찬

10:00 대통령 예방

12:00 이한

2. 순방 일정

6. 19-22 인도네시아

6. 22-23 말련

6. 23-24 싱가폴

6. 24 오끼나와

6. 25-26 한국

6. 26-27 일본

0022

JUNE 25

11:55	ARRIVE OSAN AB
1:00	LUNCHEON HOSTED BY AMBASSADOR GREGG (IN-House)
PM	(MEETINGS WITH MINDEF CHOE AND FM LEE)
DINNER	(POSSIBLE MINDEF HOSTING)

JUNE 26

MORNING	(MEETING WITH KIM CHONG-WHI)
	(MEETING WITH THE PRESIDENT)
12:00	DEPART OSAN AB

0023

UNDER SECRETARY WOLFOWITZ WILL VISIT KOREA, ARRIVING BY MILITARY AIRCRAFT AROUND NOON AT OSAN ON JUNE 25 AND DEPARTING AT NOON JUNE 26.

HE HAS REQUESTED MEETINGS WITH:

PRESIDENT ROH

FM LEE

MINDEF CHOE

KIM CHONG-WHI

0024

외 무 부

종 별 :

번 호 : DJW-1023 일 시 : 92 0623 1025

수 신 : 장 관(아동,미이)

발 신 : 주 인니 대사

제 목 : 미 국방차관 방문

6.19-22 간 주재국을 방문한 WOLFOWITZ 미국방차관은 6.22. 출국에 앞서 개최한 기자회견에서 아래와 같이 언급 하였음.

1. 미국은 아시아지역의 지속적인 경제발전을 위한 안전유지를 위해 미군을 계속 주둔시킬 예정임.

2. 미국은 상업 베이스에 의한 미군함정의 수리를 위하여 SURABAYA 소재 해군 조선소 (PT. PAL)사용문제를 인니 정부와 협상중에 있음.

3. 아시아지역에서 군사위협은 감소되었으나 북한의 핵무기 개발이 동 지역의 새로운 위협이 되고있음.

그러나 한-미간 군사협력으로 동 위협을 제어 (MANAGEABLE)할수 있음.

4. 공산주의가 아시아 국가에서 영향력을 상실하고 있으나 오랜동안 공산주의 사상을 국민에게 주입시키고 있는 중국과 같은 나라에 대해서는 경계가 필요 함.끝.

(대사 김재춘-국장)

아주국 1차보 미주국 외정실 국방부

0025

PAGE 1 92.06.23 15:58 WG

외신 1과 통제관 Y

2

4. 제6차 쿠알라룸풀 亞.太 圓卓會議 主要 討議內容

o 6.22-24간 '韓半島의 將來' 題下로 南.北韓, 美,러시아등 13개국 學者들이 參席한 가운데 말레이시아 쿠알라룸풀에서 開催된 表題會議에서 각국 參席者들은 北韓이 核問題 관련 特別査察을 受容해야만 南北關係는 물론 北韓의 對西方關係도 改善될 수 있다는 점을 强調함.

o 한편 同 會議에 參席한 '월포비츠' 美國防次官은 '新國際 秩序下 亞.太地域에서 美國의 役割' 題下 아래 要旨 演說함.

- 美國은 自國 利益과 太平洋地域 安定을 위해서도 亞.太 地域內 美國의 安保役割을 계속 수행할 것임.

- 美國은 새로운 柔軟 軍事戰略에 따라 亞.太地域에 固定的인 軍事基地를 반드시 필요로 하지 않으며, 美軍의 接近을 가능케하는 體制의 確保를 통해 安保役割을 수행할 수 있음.(柔軟한 軍事戰略으로서 駐韓美軍의 2段階 撤收 保留를 例로 듬)

- 亞.太地域 安保問題를 多者間會議에서 非公式的으로 論議하는 것은 좋으나, 事務局 形態를 갖춘 常設的인 亞.太 多者安保機構 創設은 바람직하지 못함.

(駐말레이시아大使 報告)

0026

공 란

공 란

공 란

공 란

공 란

공　　　란

공 란

공 란

공 란

공　　란

공 란

공　　　란

공 란

공　　　란

공 란

공 란

공 란

공 란

공 란

공 란

공 란

공 란

공 란

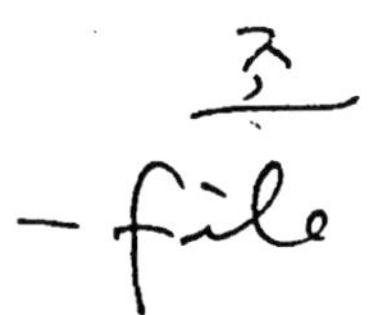

POLICY

THE UNDER SECRETARY OF DEFENSE
WASHINGTON, D.C. 20301-2000

JUL 10

The Honorable Lee Sang Ock
Minister of Foreign Affairs
Republic of Korea
Seoul, Republic of Korea

Dear Minister Lee:

I found my discussions with you and your staff very useful. I am heartened by the closeness of our thinking on a variety of issues, including the important nuclear issue. The cooperation between our two governments on this last issue has been excellent, and I am confident it will continue during the critical months ahead.

I want to take this opportunity to let you know that we believe Ambassador Gong is doing an excellent job at the Joint Nuclear Control Commission. With a united U.S.- ROK position, we can ensure that he eventually succeeds in negotiating a credible bilateral inspection regime.

Thank you for taking the time in your busy schedule to meet me during my visit to your country.

Sincerely,

Paul Wolfowitz

Paul Wolfowitz

0050

정 리 보 존 문 서 목 록					
기록물종류	일반공문서철	등록번호	32698	등록일자	
분류번호	726.61	국가코드		보존기간	영구
명 칭	북한 핵문제, 1992. 전13권				
생 산 과	북미1과/북미2과	생산년도	1992~1992	담당그룹	
권 차 명	V.7 7월(I)				
내용목차	* 북한 핵관련 대책, 한.미국간 협의, 미국의 사찰과정 참여 요구 등				

0001

공 란

공 란

공 란

공 란

공　　　란

공 란

공 란

공 란

공 란

공 란

공 란

공 란

공 란

공 란

공　　　란

공　　　　란

W1077
r IBX TXA854 02-07 00601
intj 87
^BC-South Korea-US-Nuclear
^North Korea Wants Three-Way Talks on Nuclear Inspections<
^By KELLY SMITH TUNNEY=
^Associated Press Writer=

북미 X.

SEOUL, South Korea (AP) _ North Korean leader Kim Il Sung is proposing talks with the United States and South Korea to break a deadlock on inter-Korean nuclear inspections, a U.S. analyst said Thursday.

William J. Taylor, Jr. vice president of the Washington-based Center for Strategic and International Studies, said Kim asked him to convey the proposal as well as three secret messages on nuclear issues to U.S. National Security Advisor Brent Scowcroft.

It was the Communist leader's first proposal for three-way nuclear talks and comes as pressure mounts on North Korea to resolve suspicions over nuclear weapons development by allowing both inter-Korean and international nuclear inspections.

``We need DPRK (North Korea), U.S., ROK (South Korea) talks,'' Taylor quoted Kim as saying during a three-hour meeting Sunday. Taylor visited the reclusive Communist state June 23-29.

North Korea and the United States have no formal relations but maintain a low-level channel of dialogue in Beijing between counselor-level officials. Recently, Pyongyang has also asked visitors to convey shifts in policy.

There was no immediate reaction from Washington or Seoul. Three-way talks on other issues have occurred in the past, but American and South Korean officials have rejected Northern proposals for such talks if they appear to be efforts to circumvent dialogue with rival pro-West South Korea.

Taylor refused to provide details of the secret messages, but said he saw them as a willingness to make serious progress in solving nuclear matters. Korean newspapers quoted Taylor as telling South Korean officials that North Korea wants to upgrade the Beijing contact to regular high-level bilateral talks with Washington.

He said other North Korean officials indicated they would accept inter-Korean inspections if given Western technology for pressurized water nuclear reactors, which allow enriched uranium to be burned to generate energy. North Korea has denied its nuclear program is for weapons and claims its facilities are for research.

Taylor said Kim maintained that it was impossible to proceed with inter-Korean talks on nuclear inspections ``because South Korea does not have authority over U.S. bases which must be inspected.''

The North's rejection of South Korean assurances that Washington has agreed to inspection of its bases is one of the stumbling blocks in nuclear talks between the Koreas.

North Korea also has refused to accept a South Korean proposal for one-on-one reciprocal inspections or to open its military as well as civilian facilities.

North Korea accepted its first International Atomic Energy Agency inspections in June. But U.S. and South Korean officials say the proposed inter-Korean nuclear inspections would be more comprehensive and are key to stability in North Asia.

Taylor said he told Kim: ``In my personal opinion, if South Korean inspectors are not on the ground in North Korea by early August, I expect the high level of South Korean and U.S. frustration to be at the point where we will take it to the U.N. Security Council for action.''

North Korea has been told the resolution of nuclear issues is a condition for economic assistance and better relations with the United States, Japan and the West.

South Korea maintains inter-Korean inspections are a condition for implementation of historic peace accords adopted earlier this year.

0018

The Korean Peninsula was divided into the Commnist North and capitalist South in 1945. The United States fought alongside South Korea in the 1950-53 Korean War and 38,000 troops remain deployed in the South.

공 란

공 란

공 란

북2 과

연합 H1-175 S01 정치(301)

"北韓 核사찰에 군사시설 포함" - 1

테일러 副소장 北측 정책변화 전망

(서울=聯合) 北韓은 교착상태에 빠진 核문제를 해결하기 위해 南北상호사찰대상에 군사시설을 포함하게 될 것이라고 訪韓중인 윌리암 테일러 美국제전략문제연구소 副소장이 3일 밝혔다.

테일러副소장은 이날오전 시내 조선호텔에서 駐韓美상공회의소가 주최한 조찬강연에서 자신의 訪北결과및 한반도 문제에 관한 연설을 한뒤 聯合通信기자와 만나 이같이 밝혔다.

테일러副부소장은 이날 "北韓이 앞으로 2주일 또는 수주안으로 南北대화에 관한 접근방식및 정책을 수정하게 될 것으로 생각한다"면서 "북측의 요청으로 구체적인 내용은 밝힐 수 없으나 이같은 정책변화에는 교착상태에 빠진 核문제도 포함이 될 것"이라고 말했다.(계속)

(YONHAP) 920703 1001 KST

0022

연합 H1-224 S01 정치(601)

"北韓 核시찰에 군사시설 포함" - 2

지난달 23일부터 29일까지 北韓을 방문, 金日成주석과 단독요담한 바 있는 테일러副소장은 이날 강연에서 "金주석은 세계가 어떻게 변화하고 있는지를 잘 인식하고 있으며 또한 외교적 고립에서 벗어나고 싶어한다"면서 "金주석은 美國이 北韓에 대해 긍정적인 조치를 취했을때 北韓도 이에 상응하는 반응을 보여왔다는 점을 강조했다"고 말했다.

그는 또 지난 1월 뉴욕에서 있은 아놀드 켄터美국무부정무차관과 金容淳北韓노동당국제부장간의 美·北고위급 접촉이후 北韓이 국제원자력기구(IAEA)와의 核안전협정에 서명한 사실을 예로 들면서 "한반도의 통일문제가 전적으로 南北韓 당사자간의 문제라는 점을 대전제로 美國과 南北韓간의 고위급 접촉에 대해 신중히 검토해볼 필요가 있다고 생각한다"고 말했다.

테일러부소장은 "美國이 北韓에 대한 적성국 수출금지법에 의한 무역제재조치를 철폐하지 않는다면 베트남에서와 마찬가지로 다른 나라들에 비해 對北경제진출에 있어 뒤떨어지게 될 것"이라고 말해 무역제재 철폐를 주장했다.

테일러 부소장은 이어 北韓의 권력이양과 관련, "金주석은 <현재 권력의 상당부분이 金正日에게 이양됐으나 모든 사안에 있어 내가 깊이 관여하고 있다>고 설명했다"고 덧붙였다.

테일러부소장은 "정확히 어떠한 형태가 될 것인지는 예측할 수 없지만 오는 96년까지는 한반도가 반드시 통일될 수 있을 것으로 확신한다"고 강조했다.(끝)

(YONHAP) 920703 1041 KST

0023

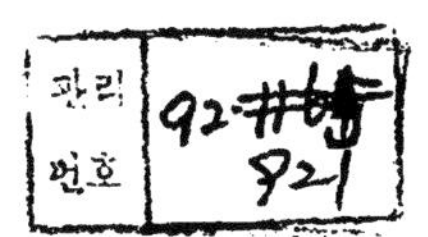

대 한 민 국
주 오 스 트 리 아 대 사 관

오스트리아 20300- 21　　　　1992 . 7 . 3 .

수 신 : 외무부장관 (사본 : 외교안보연구원장, 외정실장, 미주국장)　　(보존기간 : 　)

참 조 : 국제기구국장, 과기처장관(원자력실장)

제 목 : 1992. 6월 IAEA 이사회 참가 종합 보고

1992.6.15 - 6.19. 간 당지에서 개최된 표제 회의 참가 결과를 별첨과 같이 종합 보고합니다.

첨부 : 표제보고서　　　　끝.

(재분류 : 1993.6.30.)

예고문에 의거 재분류(1993.6.30)
직위　　　성명

선 결			결재(공람)		
접수일시	1992. 7. 9.	번호 221			
처리과					

주 오 스 트 리 아 대 사

0024

1992년 6월 IAEA 이사회 참가 종합 보고

1. 회의명 : 제 774차 IAEA 이사회

(The Sevenhundred and Seventy-fourth Meeting of the Board of Governors of the IAEA)

2. 회의기간 및 장소 : 1992.6.15-6.19. 비엔나

3. 대표단

- 수석대표(이사) :	이시영	주오스트리아 대사	
- 대표(교체이사) :	조창범	주오스트리아 대사관	공사
	허 남	"	과학관
	김의기	"	참사관
	김지영	"	1등서기관
- 대표 :	신동익	외무부 국제기구과	사무관
	강병수	과기처 원자력협력과	사무관
- 고문 :	정근모	원자력 협력담당 대사	
- 자문위원 :	문석형	원자력안전기술원	전문위원
	최영명	원자력연구소	기술정책연구실장
	이재성	"	선임연구원

4. 의제 : 별첨(GOV/2586/Rev.1) 참조

공 란

공 란

공　　　　　란

공 란

공 란

6. 주요 의제별 토의 경과 및 평가

가. 핵물질, 비핵물질 및 특정장비 수출입 전면 보고 제도 (Universal Reporting System)

1) 지난 2월 이사회시 예비적 토의 결과 및 4.29. 사무국 비공식 브리핑시 개진된 회원국의 의견을 반영하여, 반대 의견이 많았던 비핵국가에 대한 제한적 적용, 국내 생산에 관한 보고 의무, IAEA 의 현지 검증 권한 등을 삭제한 사무국안(GOV/2588, 2589)을 토대로 토의가 진행됨.

2) 동 토의 과정에서 개도국들은 안전조치(safeguards) 강화 필요성에는 공감하면서도 아래와 같은 문제점을 제기하였음.

- o 사무국 제안 작성 과정에서 각 지역 그룹 및 회원국과의 충분한 협의가 이루어 지지 않았음.
- o 이 제도는 IAEA 헌장의 범주를 벗어나는 것임.(인도, 파키스탄 등)
- o 이 제도가 효과적으로 시행되려면 국내 체제 정비에 많은 인력과 예산이 소요됨.
- o 이 제도의 참된 보편적, 무차별적 시행 효과에 의문이 있음.
- o 이 제도는 핵선진국이 핵후진국의 원자력 개발을 제약하려는 의도에서 발상된 것임.
- o 기존 안전조치 제도를 효과적으로 시행하면 이 제도의 도입이 필요 없어짐.
- o 핵선진국의 핵물질, 핵장비 등의 수출이 문제의 핵심이므로 수출에 한하여 보고 제도를 시행하는 것이 현실적임.
- o 현재의 어려운 IAEA 의 재정상태 아래서 새로운 제도 도입은 추가 경비 지출을 초래할 것이므로 기존의 안전조치 제도를 충분히 활용하는 방안을 모색하여야 함.

3) 이에 대하여 주로 미국, 호주, 카나다, EC 일부 국가들은 대체적으로 사무국 제안을 지지하는 입장을 취하였음.

4) Universal Reporting 의 이행 방법에 있어서도 법적 구속력을 가지는 의정서 체결 방식을 지지하는 입장과 회원국 자발적 보고에 의하여야 한다는 입장이 대립하였음.

5) 우리 대표단은 77그룹내 의견 조정 과정에서 부터 적극 참여하여 동 그룹이 당초 준비했던 부정적 입장을 브라질 등과 협력, 긍정적 입장으로 수정시키는데 기여하였으며, 이사회 토의 과정에서도 IAEA 의 안전조치 제도 강화 노력을 적극 지지하는 정부의 기본입장에 따라 Universal Reporting 제도의 기본 취지와 목적은 지지하나 충분한 협의와 토의를 거쳐 동 제도에 대한 회원국들간의 콘센서스가 이루어져야 이 제도의 효과적 이행이 보장될 것이므로 합의 도달을 위한 노력에 적극 참여할 것이라는 입장을 표명함.

6) 이 문제에 대하여 금번 이사회는 사무국으로 하여금 동 문제 토의시 이사국들에 의하여 제기된 의견들을 반영하고, 적절한 협의를 거쳐 수정안을 마련, 이사회에 보고하도록 요청하기로 했으며, 새로운 제도가 확립될때까지 원하는 모든 국가들은 사무국 제안 (GOV/2588, 2589) 내용에 따라 자발적으로 IAEA 에 관련 정보를 제출하도록 하였음.

7) 앞으로도 이 제도에 대하여는 대부분 이사국이 그 취지에는 찬동하면서도 상기한 바와 같이 개도국들이 제기한 문제점과 선진국내에서도 핵무기 국가와 비핵무기국, 핵물질 수출국과 수입국간에 이견이 상존하고 있어 타협안 도출을 위하여는 사무국과 각 그룹 및 회원국간에 많은 비공식 협의가 필요할 것으로 예상됨.

- 8 -

0032

나. 93년도 예산 및 기술협력 자발적 기여 목표(IPF)액

1) 사무국은 93년도 예산액으로써 남아공, 알젠틴 및 브라질, 북한과의 안전조치 협정 체결 등 안전조치 시행에 필요한 예산 증액 등을 포함한 92년 대비 2.7백만불(1.5%) 증액을 요구하는 예산안을 제안 하였음.

2) 이에 대하여 지난 5월 행정예산위원회 및 그후 비공식 협의 과정에서 77그룹 국가들은 IAEA 규제 활동 (regulatory activities) 분야와 촉진활동(promotional activities) 분야 예산간의 균형이 이루어져야 한다는 이유(작년 총회 결의 GC(XXXV)/RES/569 근거) 로 IAEA 정규예산 증액 문제와 기술협력 자발적 기금 목표액(IPF) 조정 문제를 연계 처리하여야 한다는 입장을 견지하는 반면 선진국 내에서도 일본, 영국, 벨지움, 독일 등이 예산 증가 동결(zero growth) 원칙을 주장하여 금번 이사회 중반까지도 타협점을 찾지 못한 상태였음.

3) 금번 이사회 의장은 이사회 첫 의제로 예산 문제를 토의한후 동 토의를 중단하고 Friends of the Chairman 회의를 수차 소집, 타협을 추구했으나 여의치 못하여 77그룹과 선진국 그룹간의 비공식 회합을 갖고 최종안을 작성토록 위촉하였음. 77그룹 6개국 (한국, 나이제리아, 알제리아, 파키스탄, 브라질, 이집트) 대사 및 WEOG 6개국(미,카,영,독,불,벨) 대사들이 모여 호주대사 사회하에 비공식 협의를 계속한 결과 금년 예산 증가액을 1.5백만불로 삭감하되 1.2백만불 삭감분의 내역은 사무총장에게 일임하여 각 분야 사업 집행에 지장이 없는 범위내에서 안전조치 및 기술협력사업을 제외한 예산 항목에서 균형있게 삭감하고 조정된 최종 예산안을 9월 이사회에 제출토록 요청하기로 합의하였으며, 다만 사무국안중 정보의 분석, 평가 기능 (Capacity for Reviewing and Analyzing Information) 관련

책정한 예산 42만불은 20만불로 축소 책정키로 하였음.

4) 또한 동 비공식 협의에서 기술협력 자발적 기금 목표 증가액 (IPF, Indicative Planning Figure) 은 77 그룹의 3.5백만불 제의와 선진 그룹의 2.5백만불안을 타협하여 93-95년간 매년 3백만불씩 증액키로 합의하되, 의장이 기여금 미납국에 대해 납부를 강력히 요구토록 하기로 하였음.

5) 상기 협상 과정과 이사회 예산 토의 과정에서 한국은 본부 훈령에 따라 안전조치 예산 삭감 반대 및 예산 균형 원칙을 강력히 제기하여, 이를 반영시키는 동시 77그룹과 WEOG 간 비공식 협상과정에도 능동적으로 참여하여 선진국과 개도국간 입장을 조정하여 타협안을 성립시키는데 있어 중요한 역할을 수행하였음.

다. 원자력 안전 및 방사선 방호 문제

1) 토의에 참가한 많은 국가들은 동구제국의 원자로 안전문제에 대하여 심각한 우려를 표명하고, 이 문제를 효률적으로 해결하기 위하여는 OECD/NEA, 세계은행, IAEA 등 국제기구간 상호 협력이 긴요하며, 이를 위한 IAEA 의 조정자 역할이 중요하다는 점에 대해 의견을 같이 하였음.

2) 또한 환경보존을 위한 청정 에너지로서 원자력의 중요성이 증대되고 있으나, 안전문제로 인해 원자력이 대체 에너지로서 각광을 받지 못하고 있는 현실을 타개하기 위하여 원자력 안전성 제고를 위한 국제적 안전기준 (Basic Safety Standards) 마련, 원자력 안전 협약 채택 등 국제적 협력 체제 확립의 필요성이 강조되었음.

3) 그 외에도 안전성이 결여된 원전의 건설에 대한 우려가 표명되었으며, 개발도상국의 원자력 사업 하부 구조 구축 필요성도 제기되었음.

4) 우리 대표단은 정근모 대사로 하여금 원자력 안전성 제고를 위한 국제적 협력에 적극 참여할 의사를 밝히는 한편 전술한 바와 같이 동북아 지역 안전을 위협하고 있는 북한의 원자로 및 핵시설의 안전 문제에 대해 우려를 표명하고 이 문제 해결을 위해 북한의 IAEA 및 회원국과의 협력 필요성을 강조하는 발언을 하도록 조치하였음.

라. 안전조치 재원 및 안전조치의 효율성 제고 문제

1) 1989년 이래 안전조치 재정 조달 (financing of the safeguards) 에 관한 새로운 방식 마련을 위해 총회결의(GC(XXXIII)/RES/512, GC(XXXIV)/RES/538, GC(XXXV)/RES/561) 에 입각하여 설치된 비공식 Working Group 회의가 스위스 대사 주재하에 협의를 계속해 왔는 바, 현 방식의 혜택을 받고 있는 개도국들이 현 방식의 연장과 안전조치의 효율성 제고(예산 절약을 위한)를 주장하고 있는데 반하여 동 방식의 변경과 효율성 제고를 위한 별도 조치를 주장하는 선진국간 이견 대립으로 Working Group 내에서 어떠한 타협안도 성립되지 않은체 금번 이사회에 임하게 되었음.

o 선진국 입장 : IAEA 의 안전조치가 국제평화 및 안전보장에 기여함으로써 인류 전체가 혜택을 입고 있으므로 개도국도 응분의 재정 부담을 져야 함.

o 개도국 입장 : 원자력 산업 미발달로 인해 사실상 안전조치를 필요로 하는 핵 활동이 대부분 선진국에서 이루어 지고 있으므로 안전조치 재정 대부분을 선진국에서 부담하는 현 방식이 그대로 유지되는 것이 합당하며 이와 병행하여 안전조치 관련 활동 분야의

예산 절감을 위한 안전조치 활동의 효율성 제고 (Streamlining of the Safeguards Activities) 노력이 구체적으로 추진되어야 함.

2) 금번 이사회 직전 77그룹회의 및 동 Working Group 회의에서의 협의 과정에서 스위스 의장이 제시한 타협안에 약간의 수정을 가하여 이를 채택키로 타협이 이루어졌으며, 그 결과 아래 요지의 보고서를 이사회에 제출하게 되었음.

o 안전조치 예산 부담에 관한 1989년 총회 결의(GC/(XXXIII)/RES/512) 상의 Formula 를 95년까지 3년간 연장 적용함.
o Working Group 으로 하여금 93-95년간 매년 현 Formula 수정 여부에 관한 협의 결과를 이사회에 보고토록 함.
o 안전조치 효율성 제고와 경비 절감을 위한 검토를 하도록 이사회가 적절한 장치를 마련함.

3) 금번 이사회는 전항 Working Group 보고서를 그대로 총회에 보고토록 하는 동시 안전조치의 효율성과 경비절감 문제 검토는 사무총장으로 하여금 SAGSI 를 활용, 검토 결과를 이사회에 보고토록 하였음.

4) 우리 대표단은 상기 Working Group 및 77그룹의 비공식 협의 과정에 적극적으로 참여, 특히 77그룹으로 하여금 의장 타협안에 동조토록 설득하는데 있어 결정적 기여를 하였음.

마. 중국의 대 파키스탄 원자로 지원 관련 부분적 안전조치 협정 체결 문제

1) 금번 이사회에서는 파키스탄과의 부분적 안전조치 협정 체결 문제 토의시 미국, 영국, 카나다, 호주, 일본, 그리스 등 NSG 그룹 국가들이 주동이 되어 중국이 NPT 비가입국 및 전면전 핵안전협정을

체결하지 않은 나라(파키스탄)에 대해 핵시설 건설을 지원하는 것에 대해 우려와 유감을 표명하면서 이에 대한 충분한 검토를 요구하는 유보적 입장을 표명하였음.

2) 상기 NSG 국가들의 유보 표명은 지난 바르샤바 NSG 회의(3.31-4.3)시 향후 포괄적 안전조치 협정 체결로 안전조치가 확보된 국가에게만 핵 공급을 하기로 한 합의에 따라 중국에 대하여 유사한 조치를 취하도록 압력을 가하기 위한 것으로 보임.

7. IAEA 이사회 종합 평가 및 건의

가. 종합평가

1) 금번 6월 이사회 북한 핵문제 토의에 있어 2월 이사회시와는 판이한 여건하에서도 22개 이사국이 우리 입장을 반영하는 발언을 함으로써 북한의 핵 의혹이 상존하고 있으며, 이의 해소를 위해서는 IAEA 사찰의 철저한 시행과 이와 병행하여 남북한 상호사찰이 필요하다는 점을 국제적으로 인식시키는 성과를 거둔 것으로 평가되며, 또한 사무총장으로 하여금 9월 이사회시 북한과의 핵안전조치 협정 이행에 관한 진전사항을 보고토록 함으로써 IAEA 차원에서 북한 핵문제를 계속 논의할 수 있는 근거를 마련할 수 있었음.

2) 북한 핵문제 이외에도 예산 문제, Universal reporting 제도, 원자력 안전 및 기술협력 문제 등 주요 문제와 비공식 막후 협상 과정에 우리 대표단이 적극 참여 함으로써 IAEA 차원에서 우리의 외교적 위상과 발언권의 강화를 기할 수 있었음.

3) 특히 의장 주제 비공식 협의 (Friends of the Chairman), Working Group, 및 77그룹 및 지역그룹간 협의 과정에 아세아그룹 의장 자격으로 능동적

으로 참여, 선후진국간 이견이 많았던 93년도 예산 문제, Universal Reporting, 안전조치 재원 조달 문제 등에 대한 타협안 도출을 위한 이견 조정 과정에서 중요한 조정 역할을 함으로써 IAEA 사무국 및 이사국과 회원국간에 한국에 대한 인식이 제고된 것으로 평가되며 앞으로 9월 이사회, 총회 등에서 정부 방침을 관철하고 한국의 역할을 제고시키기 위한 외교적 발판을 마련할 수 있었던 것으로 사료됨.

4) 중장기적으로 이러한 외교적 위상 제고를 통하여 IAEA 내에서 당연직 이사국 지위 확보, 사무국 고위직 진출 등의 목표를 추진하는 기반을 조성하는 계기가 된 것으로 평가함.

나. 건의사항

1) 한국의 세계 10위권 내의 원자력 활동 수준 및 국가정책상 북한 핵문제 해결의 중요성에 비추어 대 IAEA 외교활동을 앞으로 더욱 능동적으로 전개하여야 할 필요성을 감안하여 9월 IAEA 이사회 및 총회의 주요 의제를 철저히 검토하여 정부의 입장을 정립하고 이를 회의시 발표, 관철시킬 수 있도록 모든 관계 부처가 참여하는 Task Force 를 설치하여 사전 종합 검토 작업이 체계적으로 이루어질 수 있도록 시급 조치해 주기 바람.

2) IAEA 총회, 이사회, 전문가 회의 등에 참석하여 활동하는 전문가를 체계적으로 양성할 필요가 시급하므로 우선 회의 대표가 계속적으로 참가하여 인맥을 형성하고 경험을 축적할 수 있는 방향으로 대표단을 구성해 줄 것을 건의함.

3) 주비엔나 국제기구대표부에 다자외교에 경험이 있고 영어에 능통한 중견 직원을 업무의 효율적 수행뿐 아니라 다자외교 인재 훈련 양성의

- 14 -

0038

차원에서 계획적으로 배치하도록 인사면에서 특별한 고려를 해줄 것을 건의함.

첨부 : ~~1. 이사회 의제~~

~~2. 이사회 의제별 의장 요약문~~ 끝.

예고 : 1993.6.30. 일반

VENTING OF CHINESE NUCLEAR TEST

92. 7. 6
Thomas Marten
1등서기관이 전달

-- AS YOU RECALL, THE PEOPLE'S REPUBLIC OF CHINA CONDUCTED A LARGE UNDERGROUND NUCLEAR TEST ON MAY 21 IN THE WESTERN PART OF THAT COUNTRY. IMMEDIATELY FOLLOWING THAT TEST, WE EXPRESSED OUR REGRET TO THE CHINESE GOVERNMENT OVER ITS LACK OF RESTRAINT.

-- WE HAVE RECENTLY DETECTED RADIOACTIVE ISOTOPES OF XENON ABOVE THE SEA OF JAPAN. BASED ON AN ANALYSIS OF WEATHER PATTERNS, WE BELIEVE THAT GAS IS THE RESULT OF THE CHINESE NUCLEAR TEST.

-- THE GAS WAS TRAPPED IN A CLOCKWISE ATMOSPHERIC CIRCULATION OVER A DESERT BASIN IN WESTERN CHINA IMMEDIATELY AFTER THE TEST. THIS ACCOUNTS FOR THE DELAY IN ITS REACHING THE SEA OF JAPAN.

-- SINCE CHINA IS NOT A PARTY TO THE 1963 ATMOSPHERIC TEST BAN TREATY WHICH PROHIBITS UNDERGROUND NUCLEAR TESTS SPREADING RADIOACTIVE DEBRIS BEYOND NATIONAL TERRITORY, THE VENTING DOES NOT REPRESENT A VIOLATION OF AN EXISTING ARMS CONTROL AGREEMENT.

-- WE WOULD LIKE TO EMPHASIZE THAT THE LEVEL OF RADIOACTIVE GAS PRESENT IS EXTREMELY SMALL AND IS LIKELY TO DISSIPATE EVEN FURTHER. IT DOES NOT REPRESENT A HEALTH THREAT.

0040

예 고 : 독 후 파 기

'92 - 제 364 호

외교부대변인, 미국의 「아.태 지역」 전술핵무기 완전 철수 발표 관련 기자회견 진행 ('92. 7.6. 07:15, 중. 평방)

조선민주주의인민공화국 외교부대변인은 최근 미국이 아세아와 구라파에 배비한 자기의 모든 전술핵무기들을 완전히 철수했다고 발표한 것과 관련해서 5일 기자회견을 마련하고 다음과 같이 말했습니다.

보도에 의하면 지난 7월2일 미국대통령 부시는 아세아와 구라파에 배비한 미국의 모든 전술핵무기들을 완전히 철수했다는 것을 선언하였으며, 뒤이어 미국방성 대변인도 남조선에 미국의 핵무기가 없다는 것을 발표하였다.

우리나라가 핵무기전파방지조약상 의무에 따라 국제원자력기구의 비정기사찰을 받으므로써 핵에네르기를 오직 평화적 목적에만 이용하고 있는 우리의 핵정책의 진실성이 확인되고 있는 때에, 부시대통령이 아세아와 구라파에서 미국전술핵무기의 완전 철수를 선언하고, 미국방성 대변인이 남조선에서 핵무기를 다 내갔다는 것을 발표한 것은 주목할 만한 일이다.

- 1 -

0041

우리는 지난 해 9월 27일 미국이 자기의 지상 및 해상기지의 단거리 핵무기들을 제거할 것이라는 것을 발표하였을 때에도 세계에서 핵무기 배비밀도가 가장 높은 남조선에서 미국의 핵무기 철수 조치가 취해져야 한다는 입장을 표명한바 있다.

이번에 미국이 남조선에 핵무기가 없다고 공식 발표하였는데 그것이 진실이라면, 남조선에서 핵무기를 철수시킬데 대한 우리의 일관한 주장이 실현되어 가고 있는 것으로써 우리는 이를 환영한다.
미국이 남조선에 배비한 모든 핵무기를 철수하였다는 것을 선언한 것은 조선반도의 비핵화를 실현하며, 조.미 관계를 개선하는데 긍정적인 영향을 미칠 수 있을 것이다. 우리는 미국이 남조선에서 핵무기를 완전히 철수하였다는 것을 발표한 것 만큼, 앞으로 조.미 관계가 개선되어 가는 과정에 핵문제가 원만히 해결될 수 있는 전망이 열리게 되리라고 본다.

미국이 이번에 남조선에서 핵무기를 철수하였다고 한 것은 전진적인 조치로 되지만 이러한 선언만으로는 남조선에 핵무기가 없다는 것을 모든 사람들에게 납득시키기 불충분하다. 따라서 미국은 공군 전술핵무기를 포함한 모든 종류의 핵무기들이 남조선에서 완전히 철수되었다는 것을 확증하여야 하며, 남조선에 핵무기 없다는 것을 충분히 납득할 수 있는 실천적 조치를 취하여야할 것이다.

- 2 -

0042

공 란

공 란

공 란

공 란

공 란

21

연합 H1-091 S06 외신(765)

북미 2과.

北韓, IAEA 특별사찰 동의

솔로몬 차관보 증언, 미군 주둔에도 긍정적

(워싱턴=聯合) 박정찬특파원=국제원자력기구(IAEA)는 북한에 대해 특별사찰 권리를 요구했으며 북한은 특별사찰에 동의할수 있다는 입장을 보였다고 리처드 솔로몬 美국무부 東亞.太 담당 차관보가 8일 밝혔다.

솔로몬차관보는 또 북한이 주한미군의 주둔은 한반도 안정에 기여할수 있다는 입장을 보이고 있음을 시사했다.

솔로몬 차관보는 이날 하원 외교위 亞.太소위 청문회에 참석,IAEA가 북한에 특별사찰 실시권리를 요구했으며 북한측은 "이같은 사찰에 동의할수 있다고 말했다"고 설명했다.

솔로몬 차관보는 또 북한은 IAEA에 신고된 시설외에 어떤 핵시설도 사찰해도 좋다는 입장을 밝혔으며 "심지어 우리의 사찰에도 응할 가능성을 시사하는 발언들도 했다"고 말하고 그러나 미국이 남북상호사찰에 중점을 두는 이유는 IAEA 사찰이 군사시설을 제외하고 있다는 점 때문이라고 설명했다.

그는 또 북한이 핵연료 재처리 능력을 갖추는데는 몇달이 아니라 몇년이 걸릴것이라고 평가하고 "솔직하게 말하면 그같은 시설들이 기능을 발휘할수 있느냐에 대해 의문들이 제기됐다"고 말했다.

필립핀 대사로 전보되는 솔로몬 차관보는 이날 주한미군 주둔과 관련,최근 미국은 북한 평화군축연구소 인사등과 가진 토론에서 이제 北韓은 어느 정도 미군의 주둔이 이 지역 안정에 기여할수 있다고 보고있는듯한 인상을 받았다고 말했다.

그는 韓美방위조약과 주한미군 주둔등이 관심있는 문제가 될수 있으며 대화가 진전되면 이같은 문제가 제기될 것이라고 설명했다.

그는 이어 지난1월 뉴욕의 美-북한 고위접촉에서 미국측은 북한에 북한이 IAEA 사찰과 남북한 동시사찰을 모두 받아들이면 대화를 "정치적 수준"으로 격상할수 있으며 편리하다면 뉴욕에서 그같은 접촉을 가질 수 있다는 입장을 전했다고 말했다.(끝)

(YONHAP) 920709 0848 KST

0048

北,「강제사찰」受容시사

솔로몬 "駐韓軍 지역안정에 기여"

【워싱턴=文昌克특파원】 美國은 北韓이 국제원자력기구(IAEA)의 강제 또는 특별사찰을 받아들이기로 한 점으로 보아 북한의 핵문제는 해결될 것으로 판단하고 있으며 北韓이 駐韓美軍의 존재를 지역안정에 「긍정적」으로 보고 있다는 점을 북한 당국자들을 통해 간접적으로 전달받은 것으로 8일 밝혀졌다。리처드 솔로몬 美국무부 동아시아·태평양담당차관보는 이날 美하원亞太소위(위원장 솔라즈의원)에 참석, 아시아지역의 정세발전을 보고하는 자리에서 이같이 증언했다。

솔로몬차관보는 北韓이 IAEA의 정기사찰을 받아들이고 특별사찰 또는 강제사찰도 받아들이겠다고 말한 것은 놀랍고도 다행스런 일이라고 지적했다。

〈관계기사 4面〉

北상호사찰 거부하면 美와 고위회담불가능

캔터次官 對北서신

캔터美국무차관은 최근 金容淳北韓노동당국제부장에게 서한을 보내 北韓의 군사시설을 포함한 조속한 南北상호사찰이 이루어지지 않는한 美·北韓고위급회담은 개최될 수 없다는 美國측 입장을 전달한 것으로 9일 밝혀졌다。

캔터차관은 지난달 30일 北京에서 北韓측의 요청에 따라 열린 제24차 美·北韓정치담당참사관회의에서 카이저참사관을 통해 金容淳부장에게 보내는 서한을 전달하고 北韓의 군사시설을 사찰대상에서 제외할 경우 駐韓美軍기지도 사찰대상으로 공개할 수 없다는 입장을 전달했다고 서울의 한 소식통이 전했다。

(중앙 / 면)

(7.9)

0049

7/9 신

관리번호	92-626

원 본

외 무 부

종 별 :

번 호 : AVW-1099 일 시 : 92 0708 1800

수 신 : 장 관(국기,과기처)

발 신 : 주 오스트리아 대사

제 목 : IAEA/북한 안전조치 협정 보조약정 체결

표제관련 김의기참사관이 금 7.8 IAEA 사무국 관계관으로 부터 탐문한 바를하기 보고함.

1. IAEA 는 북한과 협의가 끝난 보조약정 최종문안(GENERAL PART 및 시설부록 일부)을 북한측에 전달하였으며, 북한측이 수락통보를 7.10 시한내에 할 것으로 기대하고 있다함.(동 관계관은 7.7 최종 문안 전달시, 북한측으로 부터 시한내 수락 통보 암시가 있었음을 시사하였음)

2. 동 관계관에 의하면 상기 보조약정 최종문안 제의시 첨부된 시설부록은 IAEA 의 포괄적 안전조치 협정 체결이전부터 INFCIRC/66 협정에 따른 안전조치 적용을 받던 연구용 원자로와 핵물리 연구소 임계시설에 관한 것이며 포괄적 안전조치 협정에 따라 신규로 IAEA 의 안전조치 적용을 받게된 시설과 관련한 시설부록은 포함되지 않은 것으로 알고 있다함.

3. 이들 신규 안전조치 대상 시설에 대한 시설부록은 북한이 제출한 설계정보에 입각한 IAEA 측의 설계 검증결과가 나온후 이를 토대로 추후 북한측에 초안을 제시할 것이라 하며, IAEA 는 보조약정의 일반부분과 시설부록에 대한 교섭을별도로 분리하여 진행하는 것이 일반적이라함.

4. 안전 조치 대상 시설에 대한 사찰은 연구용 원자로는 년 1 회, 발전용 원자로는 년 4 회, 산업적 재처리시설은 계속적(CONTINUOUS) 사찰을 실시한다 함.

5. 북한의 방사화학 실험소에 대한 년간 사찰 빈도는 설계검증이 완료된후 IAEA 가 결정할 것이라 하며, 핵시설에대한 사찰빈도는 IAEA 측이 일방적으로 결정한다 함(교섭대상이 아님). 또한 현재 건설중인 50MW 및 200MW 발전용 원자로에 대한 사찰은 이들 시설에 핵물질이 반입된후에 실시될수 있다 하며, 그 전단계에서는 설계 검증만을 할수 있다함. 끝.

국기국	장관	차관	1차보	외정실	분석관	청와대	안기부	과기처

0050

PAGE 1

92.07.09 02:26

외신 2과 통제관 BZ

공　　　　란

관리번호	92-432

원 본

외 무 부

종 별 : 긴 급

번 호 : USW-3466 일 시 : 92 0709 0057

수 신 : 장 관(미일,미이,아이,아동)

발 신 : 주 미국 대사

제 목 : 하원 외무위 아.태소위 청문회

1. 하원 외무위 아.태소위 (위원장 : STEPHEN SOLARZ)는 금 7.8 RICHARD SOLOMON 국무부 동아.태 담당 차관보 (주 필리핀 대사 내정)를 증인으로 출석시킨 가운데 최근 아시아 지역 정세발전에 관한 청문회를 개최함.(당관 조일환참사관 및 안총기서기관 참석)

2. SOLOMON 차관보는 증언문 없이 한국 및 필리핀, 캄보디아, 중국, 버마등에 대해 간단히 언급한후 질의 응답에 들어 갔으며, 주요 질의 응답 요지는 아래와 같음.

가. 북한 핵문제

(SOLARZ 의원)

질문 : 북한에 대한 IAEA 사찰을 통해 얻은 결론은 무엇인가 ?

답변 : IAEA 사찰 협상 이전에는 우리의 외교적 노력이 얼마나 효과가 있을것인가에 대한 서로 다른 견해가 있었으나 우리는 현재까지 북한이 보여준 협조에 대해 다소 의외라고 생각하면서 긍정적으로 보고 있음.

(SURPRISED AND PLEASED)

그러나 아직도 한반도에 위험요소는 상존 하고 있으며, 해결해야 할 많은 문제가 남아 있음.

IAEA 사찰을 통해 북한은 재처리 실험을 하고 있다는 것을 시인하였으며, BLIX IAEA 사무총장의 사찰결과 발표 내용으로 미루어 볼때 북한이 많은 사람들이 우려했던 것 만큼의 재처리 능력이 있는 것은 아니라고 보여지나 북한이 재처리 시설 개발을 위해 노력하고 있다는 것이 일단 확인됨.

질문 : BLIX 사무총장은 북한이 언제쯤 재처리 능력을 갖게 될 것으로 판단하고 있는가 ?

답변 : BLIX 총장이 발표한 바는 없으나 본인이 느끼기로는 북한이 재처리 능력을

미주국	장관	차관	1차보	아주국	아주국	미주국	외정실	분석관
청와대	안기부							

0052

PAGE 1 92.07.09 14:54

외신 2과 통제관 BS

보유하는 단계에 이르기 위해서는 수년이 있어야 할 것으로 봄.또한 재처리 시설이 과연 가동할 수 있을지에 대해서도 의문이 있음.

질문 : IAEA 는 북한에 대해 특별 또는 강제 사찰(SPECIAL OR CHALLENGEINSPECTION)을 할 수 있는 권리를 요구 하였는가 ?

답변: IAEA 는 동 사찰을 요구 했고, 북한은 IAEA 가 북한내의 어떤시설도 방문을 허용하겠다고 한바 있으며, 우리는 이것을 사찰을 허용하는 것으로 보고 있음. 그러나 IAEA 사찰 절차는 통상(NORMALLY) 신고된 시설을 다루도록 계획 (DESIGN)되어 있고, 군사시설에 대한 사찰을 다루지 않기 때문에 미국 정부는 남북 상호 사찰에 특별한 비중을 두고 있음.

질문 : IAEA 를 통해 특별 강제 사찰 합의가 이행되는 경우 남. 북 상호사찰의 중요성은 무엇인가 ?

답변 : 미국의 대 한국정책은 남. 북 대화를 통해 한반도에서의 긴장 완화,무기통제등을 촉진 시키는 것임. 북한은 남한과의 협의를 중지하고 미국 또는 국제기구와의 협의만 계속하려할 우려도 있는바, 이것은 미국이 지지할 수 없음.

질문 : 현재 상호사찰에 대한 남. 북한간 대화의 진전은 ?

답변 : 금년 3 월 양측은 JNCC 를 구성한 바 있으나 그이후 사찰제도 수립 노력에는 진전이 없음. 미국은 남. 북 상호 사찰에 진전이 없는한 북한과의관계 개선을 추진하지 않을 것임을 북한측에 이야기 하고 있음.

질문 : IAEA 가 비밀 (CLANDESTINE)시설에 대한 사찰을 시도할 준비가 되어있다고 보는가 ?

답변 : IAEA 는 진지하게 노력하고 있다고 봄. 그러나 본인으로서는 남한 또는 북한이 대화를 진전시키고자 하는 동기 (INCENTIVE)가 약화되지 않는 것이 중요하다고 봄. 왜냐하면 이러한 남. 북한 대화의 진전이 궁극적인한반도 안정의 기초이기 때문임.

질문 : 남. 북한 비핵화 공동 선언에 따르면 북한은 현재 건설중인 재처리 시설을 폐기 (DISMANTLE)해야 하는가 ? 또한 남한은 북한에 대해 동 시설 폐기를 요구하고 있는가 ?

답변 : 동 시설은 아직 완성되지 않았기 때문에 재처리 시설이 아니며 따라서 북한의 폐기의무가 없다고 말할 수도 있을 것임. 한국 정부는 동 시설의폐기 요구는 하고 있지 않으며 현재 사찰제도를 수립하기 위해 보다 주력하고 있음. 한가지

덧붙이자면 북한은 핵 폐기물을 이미 재처리하여 지하에 보관하고 있을 가능성도 있으며, 우리는 북한이 은밀한 핵 개발계획을 갖지 못하도록 하는 사찰제도를 원하고 있음.

질문 : 미.북한 관계 진전상황 및 대북한 관계 개선 조건은 ?

답변 : 88 년 북경에 참사관급 접촉 경로가 마련되었는바, 현재로서는 이것이 유일한 대화 채널임. 지난 1 월 뉴욕에서 KANTER 차관이 김용순 국제부장을 접촉한 바 있으며, 동 접촉시 북한에서 IAEA 및 상호사찰이 모두 이행되면 대화 채널을 격상시킬 것이라고 이야기한 바 있는바 미국은 이경우 뉴욕에서 대화채널을 가질수 있을 것임.

북한과의 대화채널 격상을 위해서는 핵문제 뿐만 아니라 미사일 판매, 유해송환, 테러 활동등과 관련한 문제가 모두 해결되어야함.

질문 : 남.북한 상호 사찰이 합의되더라도 다른 모든 조건들이 충족될때 까지 북한과의 관계 개선은 보류할 것인가 ?

답변 ; 미국의 기본정책은 남. 북한 대결이 종식되도록 하는것이며, 미국의 우방인 한국의 입장을 저해(UNDERCUT)하지 않고앞서 나가지는 않을 것임.

(LAGOMARSINO 의원)

질문 : 북한과 러시아, 중국관계는 ?

답변 : 북한의 대 러시아 관계는 예전과 같이 우호적이지는 않다고 보며, 중국과의 관계는 다소 증진되었다고 봄.

질문 : 최근 일본신문에는 북한 외교관이 주한 미군의 철수가 더이상 북한의 우선적인 목표(TOP OBJECTIVE)가 아니라고 말한 것으로 보도 되었는바, 주한 미군에 대한 북한의 입장은 무엇인가 ?

답변 ; 북한 지도층에서는 내부적으로 많은 논란이 있겠지만 북한의 외교정책도 흥미로운 방향으로 변화하고 (EVOLVE) 있다고 봄. 북한이 IAEA 핵 사찰을 허용하기 까지에도 북한 지도층에서 많은 토의와 견해차이가 있었을 것으로봄. 또한 1988 년이래 비공식 자격으로 방문하는 북한관리에게 비자를 발급해 오고 있는바, 미국을 방문한 북한 인사가 미군의 한국 주둔이 지역정세 안정을 위해 기여하고 있는 것으로 생각하고 있다는 인상을 받은 바 있음.

나. 캄보디아 문제

- 솔라즈의원은 캄보디아 정세와 관련 태국 및 중국의 대 크메르루즈 지원 여부등에 대해 문의 하였는바, SOLOMON 차관보는 현재 크메르루즈가 상황을 매우

어렵게 만들고 있으나 국제적 평화 노력에 따르게될 것으로 본다고 말하고, 태국 및 중국이 크메르루즈를 지원하고 있다는 직접적 증거는 없으나, 미국은 두나라에게 크메르루즈를 지원하지 말도록 요청 했다고 답변함.

다. 중국 관계

- SOLARZ 의원은 대중국 MFN 관련 조건부과에 대한 행정부의 견해를 문의하였는바, SOLOMON 차관보는 미국은 다른 어떤 나라보다도 많은 대 중국제재 (SANCTIONS)를 유지하고 있으며 무역은 변화를 유도 하기 위한수단(VEHICLE)이므로 제한을 두어 서는 안될 것이라고 답변함.

- LAGOMARSINO 의원은 중국이 북한으로부터 미군 POW 를 이송 받아 고문했다는 보도에 대해 문의하였는바, SOLOMON 차관보는 중국으로 이송되었을 가능성이 있는 전쟁포로 명단을 최근 러시아로부터 접수한 바있으며, 중국에 대해 관련정보 제공을 요청했다고 답변함.

라. 베트남 관계

- LAGOMARSINO 의원은 베트남으로 부터의 POW/MIA 송환에 대한 진전상황을 문의하였는마. SOLOMON 차관보는 현재 약 100 여 건의 생존자 목격 보고가 있다고 언급하고, 미.베트남 관계는 인도적, 경제적 분야에서 진전을 보이고 있다고 답변함.

바. 필리핀 관계

- SOLARZ 의원은 필리핀 기지로 부터 미군이 철수한 후에도 미.필리핀 방위조약의 유지가 정당화 될 수 있는지를 질문하였는바, SOLOMON 차관보는미군은 필리핀과 역사적으로 특별한 관계를 유지하고 있으며, 지역적 안정을 확보하기 위하여 필리핀과의 협조가 필요하다고 본다고 답변함.끝.

(대사 현홍주 - 국장)

예고:92.12.31. 까지 일반문서로 재분류

PAGE 4

0055

공 란

공 란

공　　란

공 란

공 란

관리 번호	92-1162

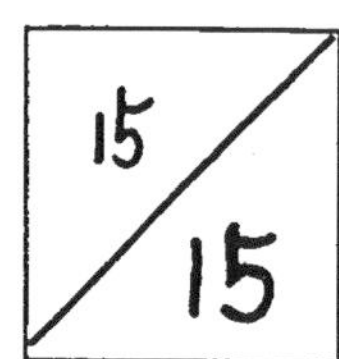

솔로몬 次官補 議會 聽聞會 發言

1992.7.10.

外 務 部

솔로몬 國務部 東亞·太 次官補는 7.9. 開催된 下院 外務委 亞·太 小委 聽聞會 質疑 應答時 北韓 核問題 等에 대해 言及한 바, 同 要旨를 아래 報告 드립니다.

1. 솔로몬 次官補 言及 要旨

(北韓 核問題)

o 블릭스 IAEA 事務總長 訪北 및 1차 IAEA 臨時查察 結果, 北側의 核再處理施設 能力 保有 意圖는 明白하나, 完全한 核再處理 能力을 갖추는 데는 수년이 걸릴것으로 보여짐.

- 美側의 韓半島內 核再處理施設 許容 不可 立場은 不變

o 北韓은 신고된 施設외에도 IAEA 側이 원하는 施設에 대한 開放을 約束한 바 있어, 特別查察을 受容한 것으로 看做할 수 있다고 봄.

0061

o 南· 北 相互査察은 軍事施設도 對象으로 하고 있기 때문에 北韓 核問題에 대해 確信을 갖게 해주며, 특히 南· 北間의 緊張緩和, 軍備 統制 및 和解까지도 發展될 수 있다는 점에서 매우 重要함.

- 美側은 北韓이 南· 北間의 直接 對話를 回避하려는 어떠한 試圖도 排擊
- 相互査察 實施 以前 北韓과의 關係 改善은 不可

(美· 北韓 關係)

o 今年 1.22. 美· 北韓 高位接觸時 美側은 IAEA 및 相互査察 實施될 境遇, 뉴욕 等地에서 美· 北韓間 定例的인 政策級 接觸 許容 立場을 傳達함.

- 現在 IAEA 査察 條件은 充足된 바, 相互査察 實施가 關鍵

o 美· 北韓 政策級 接觸이 이루어지더라도 美· 北 關係 改善에는 北韓의 諸般問題 解決이 必要함.

- 北側이 韓國戰 失踪者 遺骸 送還, 對美誹謗 自制, 테러리즘 非難 聲明 등 一部 宥和적 措置를 취하고 있는 점에 留意
  - · 미사일 輸出등 기타 問題 解決 必要

0062

(駐韓 美軍의 役割)

o 最近 訪美 北韓人士와 接觸時, 北側이 駐韓美軍의 存在가 地域安定에 寄與하는 役割을 하고 있다는 점을 認定하고 있다는 印象을 받은 바 있음.

- 核査察 關聯 北韓指導部內 異見과 論難이 있는 것으로 觀察되며, 駐韓美軍에 대해서도 類似한 內部 狀況 感知
- 향후 北側의 明確한 意圖 및 立場 把握 可能

- 끝 -

豫 告 : 92.12.31. 一 般

0063

공　　　란

공　　　란

공　　란

공 란

공　　란

공 란

공 란

공 란

공 란

공 란

공 란

2/22

주 미 대 사 관

2370 Mass. Ave. N.W., Washington, D.C. 20008 /(202)939-5600 /Fax(202)797-0595

문서번호 미국(의)700- 20

시행일자 1992. 7. 16.

경유 1994

수신 장 관

참조 미주국장

제목 북한핵문제 관련 보고서

선결			지시		
접수	일자 시간		결재		
	번호	41517			
처 리 자			공람		
담 당 자					

미 의회 조사국 (CRS)의 Larry A. Niksch 아시아 담당관이 최근 작성한 북한핵문제 관련 보고서를 별첨 송부합니다.

첨부 : 상기 보고서 1부. 끝.

주 미 대 

0075

Order Code IB91141

CRS Issue Brief

North Korea's Nuclear Weapons Program

Updated June 30, 1992

by
Larry A. Niksch
Foreign Affairs and National Defense Division

Congressional Research Service • The Library of Congress

CONTENTS

0077

North Korea's Nuclear Weapons Program

SUMMARY

North Korea is constructing nuclear reactors and a plutonium reprocessing plant at a site called Yongbyon. This could give North Korea the ability to produce atomic bombs in the near future. North Korea has admitted that the facilities have produced small amounts of the kinds of materials that would go into an atomic bomb, although it denies an intent to manufacture nuclear weapons.

Pyongyang has used concern over the Yongbyon facility to pressure the United States to remove U.S. nuclear weapons alleged to be stationed in South Korea and probably the withdrawal of all U.S. forces in South Korea. North Korea, too, may view nuclear weapons as giving it greater deterrence against military attack and/or retaliation by the United States and South Korea. The regime may believe that nuclear arms would strengthen it internationally and at home, as currently it faces diplomatic isolation and the collapse of supportive communist regimes in the Soviet Union and Eastern Europe.

Apparently responding to the U.S. withdrawal of nuclear weapons from South Korea and other U.S. and South Korean policy inducements, North Korea allowed the International Atomic Energy Agency (IAEA) to inspect Yongbyon in June 1992. However, North Korea has balked at implementing a denuclearization agreement with South Korea that calls for mutual North-South inspections, and it continues to construct a plutonium reprocessing plant despite the ban on reprocessing installations contained in the agreement. U.S., South Korean, and Japanese experts also voice the possibility that North Korea has hidden facilities to produce nuclear weapons.

A potential North Korean nuclear weapons program has major implications for U.S. policy in a number of areas. It could add to military instability in Korea, where the United States has over 36,000 troops stationed. South Korean reactions could threaten U.S.-South Korean policy coordination and political instability in the South. The issue has become a major factor in U.S.-Japan diplomatic cooperation and could become important in military cooperation. U.S. relations with Russia and with China increasingly would be affected by this issue. North Korean production of nuclear arms would damage U.S. nuclear nonproliferation policy.

The Bush Administration has set as key objectives the dismantling of the reprocessing plant and the establishment of extensive nuclear inspections of North Korea, including a system of "special inspections" which South Korea has proposed. The Administration has stated that the United States will not improve relations with North Korea until North Korea complies with these conditions. Since North Korea allowed the IAEA to inspect, the U.S. policy focus has shifted to the nuclear negotiations between North Korea and South Korea. While the United States will have influence, the South Korean government will have to decide among several options the extent to which it would hold North Korea to violations of the denuclearization accord and whether to inflict penalties on North Korea for violations.

0078

Congressional Research Service • The Library of Congress
CRS

ISSUE DEFINITION

According to numerous press and journal articles (see **For Additional Reading**), U.S. intelligence estimates reportedly have concluded that a North Korean nuclear reactor and reprocessing facility presently under construction will give North Korea the ability to manufacture atomic weapons. This issue could have serious implications for the U.S. military/security role in Korea and Northeast Asia, and could threaten peace and stability there. It also could affect U.S. policy regarding the proliferation of nuclear weapons. A U.S. response could involve both diplomatic and military measures, involving not only North and South Korea, but also Japan, Russia, and China. Depending on how far the issue develops, Congress might be involved in at least four ways: (1) review of the findings of U.S. intelligence agencies; (2) oversight of the annual reports to Congress by the Bush Administration on the status of U.S. troops in South Korea; and (3) participation through hearings, floor debate, and legislation in consideration of U.S. policy responses.

BACKGROUND AND ANALYSIS

North Korea's apparent nuclear program is set against a security situation in the Korean peninsula that contains long-standing ideological and military tensions and dangers alongside significant political, diplomatic, and economic changes since 1987. The major elements include:

-- A high level of confrontation between North Korea and South Korea (Republic of Korea-R.O.K.): 1.1 million North Korean troops face 650,000 South Korean troops across the armistice line of 1953.

-- A deep ideological gap between a democratizing South Korea and a rigid, closed communist system in North Korea under Kim Il-sung, North Korea's President.

-- An agreement on reconciliation and cooperation reached by North Korea and South Korea on Dec. 13, 1991, although specific ways to improve North-South relations still are being negotiated.

-- A "diplomatic revolution" in which North Korea's allies -- the Soviet Union and East European countries -- have established relations with South Korea, are building economic and other ties with it, and are reducing support for North Korea. China is moving in that direction, although more slowly. North Korea increasingly is isolated diplomatically and ideologically, and its economy is weakening. However, it continues to uphold its communist system.

-- North Korean initiative since 1990 aimed at normalizing relations with Japan, apparently to secure Japanese financial assistance. Negotiations between Japan and North Korea are ongoing.

-- Minimal contacts between the United States and North Korea: government-to-government discourse has been confined largely to sub-ambassadorial meetings between U.S. and North Korean officials in Beijing, China.

-- A U.S. military presence of over 40,000 troops in South Korea, scheduled to be cut to about 35,000 by the end of 1992 in the first stage of a plan to reduce the size of U.S. forces. Under its "neither confirm nor deny" policy, the U.S. Defense Department never has stated whether the United States has nuclear weapons in South Korea. However, numerous reports indicate that the United States withdrew nuclear weapons from South Korea in October-December 1991.

North Korea's Nuclear Program

Several U.S. and Japanese journals have published articles on the North Korean nuclear weapons program. U.S. and French reconnaissance satellites reportedly have taken numerous photographs of a North Korean nuclear facility located at Yongbyon, which is about 60 miles north of the North Korean capital of Pyongyang. The photographs have shown several structures that have led U.S. intelligence agencies and other experts to conclude that North Korea is developing a plant and equipment that could produce atomic bombs. Additional information has come from officials of the International Atomic Energy Agency (IAEA) who visited the installations in May and June 1992. North Korea presently has:

-- **a relatively small -- no more than 30 megawatt -- atomic reactor, constructed between 1980 and 1987:** it reportedly is capable of expending enough uranium fuel to produce about 7 kilograms of plutonium annually -- enough for the manufacture of a single atomic bomb every one or two years.

-- **a larger (50-200 megawatts) atomic reactor under construction since 1984:** when operational, it reportedly would be capable of producing enough spent fuel for 18 to 50 kilograms of plutonium annually -- enough for 2 to 5 atomic bombs.

-- **a building about 600 feet long and several stories high, described by North Korean officials to IAEA officials as a radiochemical laboratory.** Hans Blix, head of the IAEA, said after his visit to North Korea in May 1989 that the facility fit the definition of a plutonium reprocessing plant. Blix said that North Korean officials told him that the building was 80% complete and had 40% of the required equipment. IAEA inspectors in June 1992 found insufficient equipment in the building. A reprocessing plant would allow the North Koreans to separate nuclear weapons-grade Plutonium-239 from the reactor's spent uranium fuel rods -- a process critical to the ability to produce atomic bombs.

Satellite photographs reportedly also show that the atomic reactors have no attached power lines, which they would have if used for electric power generation. There are no electric power generation plants in the vicinity of Yongbyon. Large numbers of military guards are at the site, and the area is ringed with anti-aircraft weapons.

Some experts and reports point to possibilities that North Korea also may have other, hidden nuclear weapons facilities, similar to the recently discovered Iraqi facilities. Bakchon, 60 miles north of Pyongyang, has been cited as one such site by Ko Yong-hwan, a high-ranking North Korean diplomat who defected late in 1991. Hans Blix and a number of U.S. and South Korean experts have speculated that North Korea might have built a hidden "pilot" plutonium reprocessing laboratory as a prototype for the large reprocessing installation.

Persons interviewed for this study believe that North Korea has been constructing the two reactors and the apparent reprocessing plant with its own resources and technology. North Korea reportedly has about 3,000 scientists and research personnel devoted to the Yongbyon program. Many have studied nuclear technology (though not necessarily nuclear weapons production) in the Soviet Union and China and reportedly Pakistan. The training of nuclear scientists at North Korean universities reportedly is intense. North Korea has uranium deposits, estimated at 26 million tons. North Korea is believed to have one uranium producing mine. The North Korean reactors appear to be based on design and technology of the 1940s and early 1950s -- a type often found in developing countries.

In March 1992, the Russian newspaper *Arguments and Facts* quoted from a classified Soviet KGB report of Feb. 22, 1990, that the KGB had received information from "a reliable source" that "the first North Korean atomic explosive device has been completed. . . in the city of Yongbyon." The KGB undoubtedly had an extensive intelligence gathering operation in North Korea in the 1980s when military cooperation between the Soviet Union and North Korea was extensive. If the KGB report is accurate, North Korea has produced the basic components of an atomic bomb, especially the detonator which triggers a nuclear explosion; thus, it would need only reprocessed plutonium for a complete atomic bomb. North Korean officials admitted to IAEA officials in May 1992 that it had reprocessed a small amount of plutonium but denied that it had enough for an atomic bomb.

Moreover, several Russian newspapers ran stories in late 1992, claiming to be based on KGB sources, that North Korea smuggled 56 kilograms of plutonium from the former Soviet Union since February 1992 and that it earlier had smuggled a "large amount of radioactive material" in lead containers from the Russian Far East. If these reports are correct, experts say that North Korea has enough plutonium to produce at least seven atomic bombs.

International Assistance

Knowledgeable individuals believe that the Soviet Union has not assisted directly in the development of Yongbyon in the 1980s. The U.S.S.R. provided North Korea with a small research reactor in the 1960s, which also is at Yongbyon. However, North Korean nuclear scientists continued to receive training in the U.S.S.R. up to the demise of the Soviet Union in December 1991.

Several analysts interviewed said that there is no direct evidence that China is assisting North Korea in its nuclear weapons program. Non-government experts, however, have noted the reports that China was helping North Korea in the development of missiles. The publication *Nucleonics* (June 21, 1990) asserted that "Some sources believe the country [North Korea] is being assisted by China...." Another publication *Nuclear Fuel* (Oct. 2, 1989) cited U.S. officials as saying that the subject of China's nuclear cooperation with North Korea "has been raised" with the Chinese government and that there was "speculation" that China had provided technology for the North Korean reprocessing plant.

North Korea's Delivery Systems

The international concern over the Yongbyon facility has been exacerbated by North Korea's reported progress in developing and acquiring weapons systems capable of transporting nuclear warheads to targets in South Korea and Japan. North Korea presently produces a variation of the SCUD-B missile with an estimated range of nearly 200 miles. This would cover about two thirds of South Korean territory. According to an analysis of North Korea's missile program by Joseph Bermudez and Seth Carus in *Janes Soviet Intelligence Review*, April 1989, and subsequent U.S., British, and South Korean press reports, North Korea also is developing a more advanced SCUD missile with a range of over 400 miles. Experts believe this missile will be deployed in 1992. This SCUD is thought to be more suited to carry a nuclear warhead than the SCUD-B; it would include all of South Korea in its range and could reach Japanese territory. In addition to the SCUDs, several aircraft in the North Korean arsenal probably could carry atomic bombs.

North Korean Objectives

North Korean Denials of Atomic Weapons Intentions

North Korea has denied in all of its statements that it intends to produce atomic weapons. North Korean spokesmen have described Yongbyon as a research facility. They assert that the reactor that has been in operation since 1986 has not produced enough spent fuel for reprocessed plutonium sufficient for producing an atomic bomb and that the small amount of reprocessed plutonium has been used only for experimental purposes. However, North Korea has left open the possibility it could begin nuclear weapons production. The Soviet newspaper *Komsomolskaya Pravda*, the official newspaper of the Soviet Communist Party youth organization, reported on Nov. 29, 1990, from Pyongyang that: "During his September talks with Eduard Shevardnadze, the D.P.R.K. foreign minister said that, in the event of diplomatic relations being established between Moscow and Seoul, the D.P.R.K. would consider itself not bound by the pledges not to create its own nuclear weapons." According to Japanese press reports based on Soviet sources, Foreign Minister Kim Yong-nam also handed Shevardnadze a memorandum, one clause of which stated that if Moscow established relations with South Korea, the North Korean-Soviet military alliance would lose validity and that "we will have no option but to take measures to produce ourselves those weapons that we have heretofore relied on from our alliance."

Focus on U.S. Alleged Nuclear Weapons

One North Korean objective in constructing an apparent nuclear-capable facility at Yongbyon appears to have been to create a bargaining chip to force the withdrawal of U.S. nuclear weapons from South Korea. The North Korean Vice Minister of Foreign Affairs stated in April 1991 that North Korea's decision to sign the Nuclear Non-Proliferation Treaty (NPT) in 1985 "was aimed at creating a condition for the withdrawal of U.S. nuclear arms in the South." Since North Korea signed the NPT, it has not fulfilled the treaty obligation to place its nuclear installations under inspection by the International Atomic Energy Agency (IAEA). The North Korean government has asserted that it will not allow IAEA inspection until the United States removes nuclear weapons from South Korea and ends the "nuclear threat" to North Korea.

Pyongyang has laid out these conditions in the form of a number of proposals for negotiations with the United States: bilateral talks with the United States; tripartite talks involving North Korea, South Korea, and the United States; and an international conference involving North Korea, South Korea, the United States, China, and the Soviet Union aimed at creating a nuclear-free zone for Korea. The North Korean government also has stated that the United States must provide a "legal written document" or "legal assurances" that it will not use nuclear weapons against North Korea or pose a "nuclear threat" to North Korea. North Korean proposals also have called for inspection of U.S. military bases in South Korea by a joint North Korean-South Korean team.

A Possible U.S. Troop Withdrawal

The pronouncements and policies of the Kim Il-sung regime suggest that it seeks broader objectives than the removal of U.S. nuclear weapons from South Korea. One is to turn any negotiation over nuclear weapons into a broader negotiation for the withdrawal of all U.S. troops from South Korea; or, as a step in this direction, expand a negotiation to discuss restrictions on U.S. military exercises and various types of U.S. weapons systems in South Korea.

North Korea's demand that the United States end the "nuclear threat" is aimed at a broad array of U.S. military activities in South Korea. North Korea applies the term "nuclear threat" to U.S.-South Korean military exercises, which it usually describes as "nuclear war exercises." North Korea has been vehement in denouncing as a nuclear war exercise the big U.S.-South Korean Team Spirit exercise held annually, and North Korea has used Team Spirit several times as a pretext for breaking off negotiations with South Korea. North Korea also has described U.S. combat aircraft stationed in South Korea as posing a nuclear threat.

North Korea has called for an end of the U.S. "nuclear umbrella" protection of South Korea, an end to U.S. military overflights and port calls of South Korea, termination of U.S. military exercises in which nuclear "equipment" is used, and a total U.S. troop withdrawal.

Stronger Deterrence Against the United States and South Korea

North Korea also may have other objectives related to military deterrence. The North Korean government has displayed a detailed awareness of the capabilities of U.S. military forces in and around Korea. U.S. and British press reports from Pyongyang and Beijing have asserted that the North Korean government was shocked at the effectiveness of the United States and the allies in crushing Iraq during the Persian Gulf war, and that it was reassessing its own military strategy. Such a reassessment could strengthen the arguments in Pyongyang for a nuclear weapons capability to strengthen deterrence against any U.S. and/or South Korean decision to take military measures against North Korea.

In the North Korean context, deterrence has meant dissuading Seoul and Washington from retaliating against North Korea for the repeated aggressive and terrorist acts committed by the North Korean government, especially in the 1980s: the blowing up of 17 cabinet and top advisory officials of the R.O.K. government in Rangoon, Burma (1983), a commando attack on a South Korean nuclear power plant (1983), and the blowing up of a South Korean airliner (1987). The R.O.K. government reportedly came close to ordering retaliation for the airliner bombing. High-ranking North Korean officials, who advocate and plan such acts, could argue that possession of an atomic deterrence would give North Korea the flexibility to continue such a confrontational strategy in the future.

Prevention of Diplomatic and Political Erosion

North Korea's recent diplomatic setbacks and its growing political isolation could be used by proponents of an atomic weapons capability to argue that this would compel other governments to give more attention to North Korea and its interests. North Korean statements to Soviet Foreign Minister Shevardnadze in September 1990, as described above, were an attempt to use the threat of nuclear weapons to influence the Soviet government on key policy issues affecting North Korea.

A nuclear weapons capability also could serve North Korea's policy of building relations with radical regimes like Iran, Syria, Libya, Cuba, (and possibly Iraq), including stepped-up sales of missiles and other arms to these states. Nuclear weapons technology could be a valuable commodity which Pyongyang could offer to these regimes (or other friendly countries) in exchange for economic and political support. A number of these governments reportedly are attempting to acquire nuclear weapons technology.

Dictatorial regimes often view advanced weapons systems as serving domestic political needs. North Korean leaders may believe that the status of a nuclear weapons power would provide the Kim Il-sung regime another pillar of strength and security at home, add to the mythology of Kim's invincibility, and help him ward off any domestic political challenges. The regime has demonstrated apprehension that the collapse of Eastern European and Soviet communist governments, political liberalization in the Soviet Union, and the 1989 pro-democracy movement in China could stimulate domestic opposition to Kim Il-sung and to Kim's plan to have his son, Kim Chong-il, succeed him. Government statements and other reports indicate that opposition exists.

Agreements with South Korea and the IAEA

On Jan. 31, 1992, North Korea signed an agreement with the International Atomic Energy Agency (IAEA) providing for IAEA inspection of nuclear facilities in North Korea. North Korea apparently decided to sign the accord in response to U.S. and South Korean moves since September 1991, including the withdrawal of U.S. nuclear weapons from South Korea and declarations by R.O.K. President Roh Tae-woo that there are no nuclear weapons on South Korean soil, that South Korea would not manufacture or possess nuclear weapons and would not build nuclear reprocessing plants, and that South Korea would agree to a system of mutual North-South inspections. Pressures from a worsening economy and China also may have been factors in the North Korean decision.

North Korea first signed an agreement with South Korea on Dec. 13, 1991, on reconciliation and cooperation, which contains a pledge of non-aggression and establishes committees to negotiate an opening of contacts, cooperation, and arms reduction. Then, on Dec. 31, 1991, it signed a Joint Declaration for a Nuclear-Free Korean Peninsula. North Korea and South Korea pledge not to possess, manufacture, or use nuclear weapons and not to possess reprocessing and uranium enrichment facilities. They agree to negotiate the establishment of a mutual nuclear inspection system. Despite the agreement's ban on plutonium reprocessing, North Korean officials in June 1992 indicated an intention to proceed with a reprocessing program. They reportedly told IAEA, U.S. and Japanese officials that they would cease the reprocessing program if outside countries provided North Korea with alternative nuclear technologies.

North Korea allowed an initial IAEA inspection in June 1992, but it has refused to negotiate with South Korea the details of mutual inspections. North Korea first rejected South Korean proposals for "pilot inspections." South Korea also proposed an extensive system of regular and special inspections: the initiative for special inspections would be in the hands of the inspecting party with the requirement of only a 24 hours notice prior to an inspection. North Korea has countered that inspections must be preceded by the negotiation of a supplementary agreement to set out the specifics of implementation of the Dec. 31, 1991, denuclearization accord, including the securing of an international guarantee for a non-nuclear Korea. North Korea has rejected opening its military bases to South Korean inspection while insisting on the right to inspect U.S. and R.O.K. bases. North Korean officials also have voiced opposition to South Korea's proposal of special inspections.

Implications for U.S. Policy

The apparent North Korean nuclear weapons program has numerous foreign policy and security implications for the United States. These unquestionably would grow even more complex if North Korea completes the Yongbyon facility over the next 2 years.

Military Implications

North Korea's possession of nuclear weapons would increase the danger that any new Korean war would turn into a nuclear conflict. It likely would affect the perceptions of North Korean and U.S. and South Korean military strategists regarding the status and composition of deterrence and military strategy options in various contingencies. A more unstable situation would develop if North Korean leaders concluded that nuclear weapons gave them more military options toward South Korea, or if South Korean leaders decided on drastic military countermeasures. Moreover, many experts believe that the situation in North Korea and between North Korea and South Korea will be especially unstable during the period of succession following Kim Il-sung's death (he will be 80 years old in April) and that North Korea's possession of nuclear weapons would increase the danger of conflict even further.

South Korean Reactions

South Korea's reactions to a North Korean atomic weapons capability could become a serious problem for the United States. Both governments see this as a security threat; but South Korea views the issue within the confines of North Korea-South Korea relations, whereas, the U.S. Government also perceives it as a threat to its global non-proliferation policy. The U.S. Administration in Washington would perceive U.S. interests to lie in influencing South Korea to coordinate policy with the United States and refrain from adopting diverse or unilateral policies. So far, Seoul and Washington have coordinated closely. However, several possible courses of action by South Korea could confront the United States with undesired situations.

Bush Administration officials and several executive branch specialists on Korea presently are concerned that the R.O.K. government may lower the priority it gives to the nuclear weapons issue, after reaching the agreement with North Korea on reconciliation and cooperation on Dec. 13, 1991. President Roh Tae-woo may wish to avoid a confrontation with North Korea over nuclear weapons in 1992 while he seeks to negotiate follow-up accords with Pyongyang (as provided for in the Dec. 13, 1191 agreement). Top presidential aides to Roh frequently voice such a view.

Nevertheless, there is different sentiment within the R.O.K. government, particularly within the army and the intelligence organs. As the North-South nuclear negotiations stalled in May 1992 and as evidence emerged that North Korea was constructing a nuclear reprocessing installation, critics inside and outside the government began to call for a tougher policy. On Apr. 12, 1991, South Korea's Defense Minister, Lee Jong-koo, stated that South Korea might launch a commando attack on Yongbyon if North Korea continued with its construction there. The influential South Korean magazine, *Wolgan Choson*, reported in the March 1991 issue that South Korean defense planners were studying the option of an aerial strike at Yongbyon. South Korean government officials reportedly told U.S. Defense Secretary Cheney in November 1991 that they did not favor the direct use of force against North Korea, but such sentiment no doubt exists.

A growth of nuclear tensions on the Korean peninsula thus could also endanger political stability in South Korea and the more democratic political system that has emerged since the end of military-dominated government in 1987. The potential exists for discord between the government and its potential critics, including the army, over the proper response to the North Korean nuclear program. The army dominated the South Korean government from 1961-1987.

Some observers and commentators have expressed concern that the R.O.K. government would consider its own nuclear weapons program in response to North Korea. South Korea currently has nine nuclear reactors for the production of nuclear power. South Korea stores spent uranium fuel from these reactors. It has no reprocessing plant, but is believed to be technically capable of constructing one. During the late 1970s, President Park Chung-hee had government agencies examine a nuclear weapons option in response to U.S. proposals for the withdrawal of American troops from Korea.

U.S.-Japan Relations

The Japanese government's policy towards the North Korean nuclear weapons program became a central issue in U.S.-Japan security relations when Japan and North Korea agreed in September 1990 to negotiate the normalization of relations. The Bush Administration urged the Japanese government to press the North Koreans on the nuclear arms question in the talks.

The Japanese government has set as a condition for normalization that North Korea allow IAEA inspection of the Yongbyon facility. At the end of 1991, Japanese officials began to assert that North Korea must dismantle the reprocessing plant. Some observers believe that Japanese pressure may be the most effective kind of outside influence because of North Korea's worsening economic conditions and its apparent desire to secure Japanese financial assistance. Thus, the United States will have a continuing interest in Japanese diplomacy remaining in parallel with U.S. strategy.

Moreover, if the North Korean nuclear program should lead to a deteriorating security situation on the Korean peninsula, U.S. views regarding Japan's security role in Korea could change. The Persian Gulf crisis demonstrated the willingness of the U.S. Government to press Japan to make a major financial commitment and take a military role in an emerging international security crisis. (See CRS Report 91-444 F, Japan's Response to the Persian Gulf Crisis: Implications for U.S.-Japan Relations). Such sentiment among U.S. policymakers and resultant pressure could be stronger in the case of Korea, given the general trend in American attitudes and the U.S. awareness of Japan's own interests in Korea.

If the United States were to pressure for Japanese military involvement in Korea, acute tensions would arise inside Japan and South Korea, whose peoples share animosities toward one another based on the history of Japanese invasions and occupations of Korea, including the harsh occupation from 1905 to 1945. It also would place severe strains on the Japanese government's adherence to the pacifist provisions of Japan's constitution.

U.S. Relations with the Russia and China

A continued North Korean nuclear weapons program would become more central to U.S. bilateral relations with Russia and China. The United States would seek greater Russian and Chinese support in the forms of direct bilateral pressures on North Korea through denials of aid, cooperation with the United States in the United Nations, and backing for U.S. initiatives. The collapse of the Soviet Union enhances the prospects of Russian support for the U.S. policy. China, however, could face increasingly difficult choices between backing a more assertive U.S. policy and retaining supportive ties to its long-standing ally, North Korea. Russia and China could be expected to react negatively toward any Japanese military involvement in Korea, which historically has been the focus of Russian-Japanese-Chinese rivalries in Northeast Asia.

Impact on U.S. Nonproliferation Policy

The U.S. Government would view the North Korean manufacture of an atomic weapon as a serious breach of the U.S.-led international effort to prevent the further proliferation of nuclear weapons. Because North Korea is a signatory of the NPT, its production of nuclear weapons could undermine international support for the treaty. This could be especially damaging since the treaty is due for an extension in 1995. South Korean and Japanese abilities to produce nuclear weapons could present a danger of escalating proliferation in response to the North Korean manufacture of an atomic bomb. U.S. officials and other American experts fear that North Korea might provide nuclear weapons technology to other radical states, thus further undermining the NPT and the nonproliferation policy.

Current U.S. Policy

The Bush Administration policy has two objectives: 1) inspection of the Yongbyon and other suspected facilities by the IAEA and South Korea and 2) a dismantling of the apparent North Korean reprocessing plant. The Bush Administration has told North Korea that it will not upgrade contacts until North Korea complies with these two demands.

U.S. officials and other experts outlined in interviews the weaknesses of the IAEA regime and inspection system, and the NPT regime with regard to a state like North Korea. Under IAEA, governments can limit the number and types of facilities to be inspected. Some U.S. officials believe that North Korea may have a hidden plutonium reprocessing facility. Governments are permitted to construct nuclear reprocessing plants and produce atomic weapons-grade plutonium; IAEA inspectors only monitor the stored plutonium. Nevertheless, weapons-grade plutonium can be hidden, and some experts fear that North Korea might try to hide some portion of reprocessed plutonium from inspectors. Signatories of the NPT cannot use such plutonium to produce an actual atomic bomb, but the treaty has a provision allowing any signatory to withdraw 90 days after giving notice. In the past, North Korea has threatened to withdraw.

The Bush Administration's strategy so far contains two elements, which it seeks to integrate into a program of pressure on North Korea. The first is to offer North Korea inducements to give up its nuclear weapons program. These are intended to meet North Korea's most often stated condition for allowing IAEA inspection and take away Pyongyang's justification for its nuclear weapons policy. The United States and South Korea have announced and affected several key inducements since September 1991. The United States withdrew nuclear weapons from South Korea by December 1991, after President Bush decided to do so in October. President Roh, as stated previously, declared South Korea free of nuclear weapons, disavowed nuclear weapons and reprocessing facilities, and offered North Korea mutual inspections -- including inspection of U.S. military bases in South Korea. The United States and South Korea also suspended the Team Spirit military exercise scheduled for February 1992. The United States initiated a diplomatic meeting with North Korea at the United Nations in January 1992, the highest level of diplomatic contact yet between them. Earlier, the Bush Administration issued a "negative security guarantee" to North Korea: a general statement of U.S. policy that the United States would not use nuclear weapons against a non-nuclear power unless that country staged an armed attack against the United States or a U.S. ally and received support from a nuclear weapons state.

The Bush Administration intends these inducements to reinforce the second element of its strategy: a strong diplomatic campaign to encourage other governments to pressure North Korea to agree to IAEA and South Korean inspections and abandon its nuclear weapons program. The State Department has urged Japan, Russia, China, the Western European bloc, Australia, and other countries to pressure North Korea through bilateral talks and in international fora. U.S.-R.O.K. inducements are intended to gain greater Chinese and Russian cooperation by satisfying their desires that the United States make concessions and overtures to North Korea on this and other issues. The Bush Administration no doubt hopes that these inducements will show governments and publics in allied countries that the United States is making significant efforts to resolve the issue peacefully.

U.S. Policy

Consequently, Bush Administration policy in the first half of 1992 has turned more towards pressure on North Korea. U.S. strategy contains some or all of the following elements:

(1) The Bush Administration pressed North Korea to ratify immediately the IAEA agreement and agree to full-scale IAEA inspection of all facilities at Yongbyon no later than June 1992.

(2) The Administration has urged Japan and other allies not to make concessions to North Korea (i.e., Japanese financial aid) even if North Korea allows inspections but, instead, to demand a dismantling of the Yongbyon reprocessing plant.

(3) The Administration has demanded that North Korea permit South Korean inspection under a system of North-South mutual inspections.

(4) The Administration has urged South Korea to make future negotiations with North Korea on aspects of the Dec. 13, 1991, agreement on reconciliation and cooperation dependent on North Korean agreement to comprehensive inspections. The Administration has voiced strong backing for South Korea's proposal of special inspections.

U.S.-R.O.K. Options

The Bush Administration had decided to take the issue to the United Nations Security Council in the summer of 1992, but this was based on an assumption that North Korea probably would not allow IAEA inspection or, if it did, would not permit the IAEA to inspect the apparent reprocessing plant. In this event, the Administration reportedly intended to seek U.N. sanctions against North Korea. Administration officials also spoke of the option of an air strike against Yongbyon to knock out the nuclear facilities there.

North Korea checkmated the Administration's plan by allowing the IAEA to inspect in June 1992. If North Korea now abides by its obligations under the Nuclear Non-Proliferation Treaty regarding IAEA inspections, the United States will have little prospect of obtaining U.N. Security Council support for sanctions or international backing for any military strike.

As of June 1992, the focus of policy options has shifted to the nuclear negotiations between South Korea and North Korea and especially to future policy decisions by the South Korean government. Two provisions of the North-South denuclearization give

South Korea and the United States justification for continued pressure on North Korea: the provision barring plutonium reprocessing and the clause calling for mutual North-South inspections. The R.O.K. government will have to make a judgment on (1) the extent to which North Korea is violating these provisions by constructing a reprocessing plant and not agreeing to a tough system of mutual inspections, especially special inspections along the lines proposed by South Korea, and (2) the priority to give to violations and to its special inspections proposal in the overall talks between North Korea and South Korea.

There appear to be three options for South Korea and the United States if North Korea continues to construct the reprocessing plant and if the North-South nuclear talks remain deadlocked.

(1) Maintain engagement with North Korea. This would seek to continue North-South negotiations on the broad range of issues specified in the Dec. 13, 1991, North-South agreement on reconciliation and cooperation and not jeopardize the chances of a settlement of these through a confrontational strategy towards North Korea on the reprocessing and mutual inspections issues. The South Korean government would soften its negotiating positions on reprocessing and special inspections, perhaps significantly.

This policy probably would succeed in sustaining the North-South talks throughout 1992. However, a longer term implementation of the engagement policy probably would depend on real progress being made in the North-South talks on issues like people-to-people exchanges (especially reunion of divided Korean families) and military "confidence building" measures. If sustainable progress were not realized soon, criticism of the engagement policy no doubt would arise from South Korean domestic sources inside and outside of the government. The U.S. Administration might also press the R.O.K. government for a shift of options to a tougher policy, especially if uncertainties continued over the state of Pyongyang's nuclear weapons capabilities. The South Korean government probably could not sustain an engagement policy in the face of such criticism.

(2) Take back earlier concessions but leave the door open to North Korea. The option would seek to put measured pressure on North Korea regarding nuclear weapons but leave open an opportunity for continued negotiations between South Korea and North Korea over non-nuclear, non-military issues. South Korea could make a public judgment that North Korea was violating the denuclearization. South Korea and the United States would withdraw most of the concessions made to North Korea in late 1991 and January 1992. They would renew the Team Spirit joint military exercise. The United States probably would not re-deploy nuclear weapons in South Korea permanently, but Seoul and Washington would retain the right to bring in U.S. nuclear weapons temporarily during military exercises. Most significantly, the South Korean government would announce a suspension of its obligations under the denuclearization agreement until North Korea ended its violations. The pressure side of the option would be only on the military nuclear side. South Korea still could emphasize negotiations on trade and people-to-people exchanges.

This option probably would increase the likelihood of R.O.K.-U.S. long-term cooperation on the nuclear weapons issue. It likely would help ensure South Korean domestic support of the government. However, the pressure might not be sufficient to bring forth concessions from North Korea on reprocessing and special inspections.

(3) Economic Sanctions. The option's objective would be to create an economic crisis or even political instability in North Korea that would force it to dismantle the reprocessing plant and agree to North-South mutual inspections, including a tough system of special inspections. It would consist of the maintenance of current South Korean, Japanese, and U.S. restrictions on economic dealings with North Korea. In order to strengthen the impact of sanctions on North Korea's economy, South Korea and the United States could ask the G-7 group of Western countries to impose economic sanctions. South Korea and the United States would ask the Japanese government to prohibit economic assistance to North Korea from pro-Pyongyang ethnic Koreans in Japan (an important source of North Korea's foreign exchange).

North Korea's already weakening economy would be hard hit by such sanctions. Nevertheless, success would not be guaranteed. The North Korean government's political and economic controls give it a greater ability to absorb this kind of economic penalty. China might respond with greater economic support to North Korea. The Japanese government would face a difficult decision over whether to shut off ethnic Korean trade with and investment in North Korea. A cutoff would be controversial in public opinion, and the pro-Pyongyang ethnic Koreans might resort to disorders.

FOR ADDITIONAL READING

Bermudez, Joseph A. North Korea's nuclear programme. Jane's intelligence review, September 1991: 404-411.

Mack, Andrew. North Korea and the bomb. Foreign policy, summer 1991: 87-104.

Spector, Leonard S. and Jacqueline R. Smith. North Korea: The next nuclear nightmare? Arms control today, March 1991: 8-13.

공 란

공 란

공 란

공 란

공 란

공　　　란

4. 核問題 관련 IAEA 北韓大使의 記者會見

ㅇ 7.23 駐오스트리아 北韓大使 박시응은 오스트리아 國營通信 (APA)과의 記者會見을 통해 北韓側의 核問題 관련 立場을 아래와 같이 發表함.

- 北韓은 IAEA의 核査察에 最大限 協調하고 있는 바, IAEA의 核査察制度가 重要하며 雙務査察을 强調하는 것은 IAEA 査察制度의 信賴를 損傷시키는 것임.

- 韓半島 非核化宣言에 따른 南北韓 相互査察問題는 韓國民 內部問題임.

- 韓國內 美 核武器問題는 美國과의 協議를 必要로 하나 美國은 北韓과의 協議에 응하지 않고 있으며, 南北韓 相互査察 協商에 進展이 없는 것은 美國의 責任임.

ㅇ 한편, 北韓側은 同 會見後 韓半島 非核化宣言 및 南北韓 相互査察問題 관련, 韓國側과의 協商結果를 금년 9월말까지 기다려 본후 進展이 없으면 10월중 체코 프라하에서 大規模 國際會議를 開催할 예정이라고 言及함. (駐오스트리아大使 報告)

0098

x1

북114-22 / 2L

長 官 報 告 事 項

報告畢

1992. 7. 24.
外交安保硏究院
企劃調査課(92-23)

題目 : 美國 Eastern Kentucky 大學 郭台煥 敎授 초청 세미나

> 당 硏究院은 1992. 7. 22(水) 北韓關係 專門家인 이스턴 켄터키 大學 郭台煥敎授를 초청, "韓半島 非核化와 南北韓 核協商 戰略"이란 주제로 세미나를 개최하였는 바, 同 要旨를 아래와 같이 보고합니다.

1. 현재 南北韓 關係의 進展을 가로 막는 北韓의 核問題에 대하여 "核問題 進展없이는 南北關係 및 美·北韓 關係改善은 절대로 없을 것"이라는 것이 韓·美 政府가 갖고 있는 對北 協商의 기본 입장임. 그러나 이것이 韓半島 非核化의 실현 및 南北 關係改善에 도움이 될 것인지가 의문임.

2. 非核化 實現의 問題點

   o 韓國政府는 核武器 開發과 核에너지 開發에 대한 확실한 개념정립이 되지 않은 상태에서 北韓의 核武器 開發을 저지하기 위한 強硬政策을 전개해 왔음. 韓國政府의 韓半島 核不在 및 核포기 宣言政策이 北韓

// 계 속//

0099

xl

을 IAEA 核査察로 유도하고 南北 關係進展을 위해서 韓國이 核武器 개발을 포기한다는 것이지 核에너지 개발 자체를 포기하는 것으로 해석해서는 안된다고 생각함.

o 현시점에서 金日成 主席은 核開發 能力도 意圖도 없다고 했슴. 能力 問題는 IAEA의 완전한 결과가 발표되기까지 시간이 걸리겠으나 김일성의 발표를 음미해 보면 능력도 의도도 있다고 하는 우리의 전통적 평가와는 다르게 해석을 할 필요가 있다고 생각함. 核武器를 갖겠다는 의도가 명확해지면 核武器를 생산할 것이나 능력이 있다해도 의도가 명확하지 않으면 생산 안할 것임. 이것은 金日成 體制生存과 관계가 있기 때문에 북한으로서도 核武器 開發에 쉽게 착수할 수 없을 것으로 봄. 따라서 우리政府가 北韓의 核武器 開發을 저지해야 되겠다는 입장을 다시 생각해 봐야 할 필요가 있다고 생각함.

o 1990. 3 北韓은 방사화학실험실에서 그들이 인정한대로 극소량의 플루토늄을 추출해서 보관하고 있다고 하지만 우리는 그들이 말한 것보다 많은 양을 은익하고 있을 것이라고 판단하고 있슴. 그러나 北韓의 核武器 開發이 體制維持에 도움이 안된다고 생각하고 있슴. 데이타를 찾아보아도 核武器를 開發하고 있다는 이유가 명확하지 않다고 느끼기 때문에 정부의 판단과 차이점을 가짐. 韓半島의 非核化를 위해서는 검증을 위한 사찰만하면 되는 것이므로 南北韓의 사찰 방안에서 절충안을 찾아내야 할 것임.

o 南韓의 "相互 同時査察原則"과 北韓의 "疑心 同時解消原則"의 상이한 南北韓 核査察 대상 선정방식을 쌍방의 공동 노력으로 상호 양보와 타협을 통해 하나의 대원칙에 입각한 南北 相互査察 方案을 찾을 수 있으리라 생각함.

2

0100

o 核 同時査察의 접근을 위한 하나의 절충안으로 가칭 "相互 疑心地域 同時査察原則" 方案을 제시함. 이 原則의 內容은 서로가 상대방이 核武器의 존재나 핵무기 개발의 의심이 있는 모든 民間 核施設 및 軍事施設을 모두 다 동시에 開放하고 査察하는 原則으로써 양측이 南北 非核 共同宣言의 실천을 위하여 서로 받아들일 수 있는 가장 현실적이고 합리적인 방안이라고 생각함.

o 北韓이 이미 방사화학실험실에서 소량의 플루토늄을 추출하였다고 보고하였고 이 실험실은 核재처리시설이 아니며 南北 非核 共同宣言의 3조에 위배되지 않는다고 주장하고 있기 때문에 남한도 核에너지의 평화적 이용을 위해 南韓式 "방사화학실험실"을 가져도 이것이 南北 非核 共同宣言에 위배되지 않는다고 생각함. 또한 南北韓 모두는 核開發과 核武器 開發은 별개의 문제라는 점을 인식할 필요가 있으며 장기적으로는 南北韓이 평화적인 목적을 위해서 核에너지를 공동으로 개발하는 것이 바람직하다고 생각함.

3

0101

공 란

공 란

원 본

암호수신

외 무 부

종 별 :

번 호 : AVW-1187 일 시 : 92 0724 1900

수 신 : 장 관(미이,국기,정특,구이)

발 신 : 주 오스트리아 대사

제 목 : 북한대사 기자 회견

자료응신 43 호

1. 당지 북한대사 박시응(양자관계 대사)은 7.23(목) 15:00-16:00 당지 국영 APA 봉신사에서 북한 핵문제 관련 인터뷰를 가졌다함(APA 통신, 독일 통신 DPA 및 동구권 통신기자 1 명등 참석, 북한대표부 윤호진 참사관및 김광식 서기관동석)

2. 동 회견에서 북한측은 윤참사관의 별첨 발표문 낭독및 박대사의 질의 응답을 통해 북한이 IAEA 의 핵사찰에 최대한 협조하고 있다는 점, IAEA 의 핵사찰제도가 중요하며 쌍무적인 사찰제도 강조는 IAEA 사찰제도의 신뢰를 손상시키는 것이라는 점, 한반도 비핵화 선언에 따른 남북한 상호사찰 문제는 한국민의 내부 문제라는 점, 북한은 IAEA 사찰을 성실히 받고 있으나 북한측의 미핵기지에대한 사찰요구는 받아들여지지 않고 있다는 점, 한국내 미핵무기 문제는 미국과 협의를 필요로하나 미국은 북한과의 협의에 응하지 않고 있으며 남북한 상호사찰 협상에 진전이 없는것은 미국의 책임이라는 점등을 강변하였다고 함.

3. 또한 북한측은 회견후 한 참석자에게 한반도 비핵화 선언및 남북한 상호사찰 문제 관련 한국측과의 협상 경과를 9 월 까지 기다려 본후 진전이 없으면10 월중에 체코 프라하에서 한반도 통일및 비핵화 문제에 관한 대규모 국제회의를 개최코저 한다고 말하였다고 함.

4. 상기 북한측 발표문및 APA 통신의 관련 기사 전문 별첨 FAX 송부함.

별첨:AVW(F)-0180 4 매.끝.

(대사 이시영-국장)

미주국	장관	차관	1차보	구주국	국기국	외정실	분석관	청와대
총리실	안기부							

PAGE 1 92.07.25 04:15

외신 2과 통제관 BZ

0104

EMBASSY OF THE REPUBLIC OF KOREA

Praterstrasse 31. Vienna
Austria 1020 (FAX : 2163438)

No : AVW(F) - 0180	Date 20724 1900
To : 장 관(미이, 국기, 정특, 구이) (FAX No :)	
Subject : 첨부	

표지포함 5 매

Total Number of Page :

0105

5-7

P R E S S I N T E R V I E W

Vienna, 23.July 1992

It is well known that after entering into force, on 10 of April 1992 , of the nuclear safeguards agreement between the Democratic People's Republic of Korea and the International Atomic Energy Agency under the Nuclear Non-Proliferation Treaty the DPRK is faithfully complying with the obligations undertaken by the agreement.

The International Atomic Energy Agency already performed second ad-hoc inspection in DPRK to verify the Initial Inventory Report and Design Information of nuclear facilities. The DPRK co-operated with the Agency inspection team to the possible extent.

We, on several occasions, have announced that our nuclear programme is devoted entirely to the peaceful purposes. And for transparency and openness of our nuclear programme we went further offering standing invitation to the Agency to visit any installation, it may wish, regardless it has been included in the list submitted to the Agency.

We are convinced that the peaceful nature of our nuclear programme will be proved by the ongoing inspections of the Agency.

The safeguards system of the International Atomic Energy Agency is an existing unique nuclear non-proliferation verification system. Many countries are demanding the strengthening of the Agency safeguards system. And it is well known that the meetings of the Board of Governors of the IAEA is developing its discussion on some measures to strengthen the safeguards.

The DPRK is interested in the strengthening of the Agency safeguards system and it will do its best to achieve efficiency of the safeguards.

1

0106

However, regretfully , there are some voices of western politicians which bring shadow to the role of the Agency safeguards. Having expressed their concern on our "nuclear programme" in international meetings they have alleged that effective "bilateral inspection regime" should be implemented in Korea.

limited, sufficient 와 다름.

In other words, they insist that since the Agency safeguards system is not efficient the more effective "bilateral inspection regime" should be created. Instead of strengthening the efficiency of the IAEA safeguards system to make it complete one the more effective "bilateral inspection" is called.

We believe that such allegation of some politicians will only increase doubt on the credibility of the Agency safeguards and will be detrimental to strengthening comprehensive nuclear non-priliferation regime. Such allegation, if continue, will pour cold water to our efforts to accept faithfully the Agency inspection. 협박조.

The present safeguards system of the Agency has already been provided with all necessary legal provisions to verify compliance of its parties with the obligations undertaken by the Nuclear Weapons Non-Proliferation Treaty.

With regard to the North-South nuclear inspection under the Declaration on Denuclearizetion of the Korean Peninsula this is internal issue of the Korean nation and is being discussed, at present, in the North-South Joint Nuclear Control committee.

The internal issue of our nation is not subject of intervention by third party or international meetings.

At the meetings of North-South Joint Nuclear Control Committee we put forward realistic proposals to make North-South bilateral inspection a practical one capable of verifying the denuclearization status of the Korean peninsula and are doing our best for its realization.

A-3

0107

The safeguards of the International Atomic Energy Agency is compulsory to all parties of international Treaty. Therefore it should not be diminished or replaced by other "bilateral inspection".

In conclusion we would like once again to reiterate that the DPRK will scrupulously observe obligations undertaken by the safeguards agreement with the Agency and fully co-operate with the Agency for attainment of that goal.

Thank you.

Austria Presse Agentur
APA405 5 AA 0423 23.Jul 92

Nordkorea/Südkorea/USA/Atom

Nordkorea macht USA für Stillstand in Inspektionsfrage verantwortlich
Utl.: "Widersprüche in Erklärungen Washingtons und Seouls" =

Wien (APA) - Nordkorea hat die USA dafür verantwortlich gemacht, daß bei den Verhandlungen mit Südkorea über gegenseitige Inspektionen von Atomanlagen keine Fortschritte erzielt werden. Solange es für Nordkorea nicht möglich sei, sich davon zu überzeugen, daß wirklich alle amerikanischen Atomwaffen aus Südkorea abgezogen sind, "kommen wir nicht weiter", sagte der nordkoreanische Botschafter in Österreich, Pak Si Ung, am Donnerstag gegenüber der Austria Presse Agentur in Wien. ****

Pak verwies in dem Gespräch darauf, daß Südkorea schon im Dezember des Vorjahrs gemäß der gemeinsamen Deklaration über die Schaffung einer atomwaffenfreien Zone auf der koreanischen Halbinsel den Abzug aller A-Waffen von seinem Territorium verkündet habe. Demgegenüber habe das amerikanische Verteidigungsministerium erst am 2. Juli offiziell den Abzug bestätigt. "Nun wollen wir das überprüfen", erklärte der Botschafter.

Beim 7. Treffen des gemeinsamen nord-südkoreanischen Atomkontrollkomitees am 21. Juli habe Nordkorea nach dem Grund für den Widerspruch in den Aussagen Seouls und Washington gefragt. Die südkoreanische Delegation habe daraufhin zur Antwort gegeben, sie könne nicht hinter die Kulissen der US-Politik schauen. Pak zufolge waren die Vorschläge Seouls für die bilateralen Inspektionen außerdem "sehr ungenügend". Ein weiteres Treffen sei für Ende August geplant.

Die USA fordern eine Einigung zwischen Nord- und Südkorea in der Inspektionsfrage, bevor sie über Kontrollen ihrer Stützpunkten in Südkorea reden wollen. Nordkorea will hingegen, daß die USA in die Verhandlungen zwischen Pjöngjang und Seoul eingebunden werden, da Südkorea keine Vollmacht habe, Inspektionen in US-Militärstützpunkten zu erlauben. Ein Gesprächsangebot wurde laut Pak der Regierung in Washington gemacht, aber dort nicht ernsthaft aufgegriffen.

Nordkorea habe keine Atomwaffen und auch keine Kapazitäten für den Bau solcher Waffen, versicherte Pak Si Ung. "Und wir glauben auch, daß Südkorea keine hat." Haupthindernis für ein atomwaffenfreies Korea seien also die Atomwaffen der USA in Südkorea. Deshalb sollten die Vereinigten Staaten in die Verhandlungen involviert werden.

In der Frage der bilateralen Inspektionen von Militärstützpunkten gibt es nach Angaben des nordkoreanischen Botschafters noch sehr viele Schwierigkeiten. Die Frage etwa, wie solche Inspektionen aussehen könnten, sei noch gänzlich ungelöst. Nordkorea habe hiezu "im Gegensatz zu Südkorea" bereits einige Vorschläge gemacht. Aber das sei eine "interne Angelegenheit".

Pak betonte weiter, daß die Frage der bilateralen Inspektionen völlig getrennt von den Inspektionen der Internationalen Atomenergie-Organisation (IAEO) in Wien zu sehen sei. Die IAEO könne jede Einrichtung in Nordkorea besichtigen, unabhängig davon, ob sie in der Liste angeführt sei, die Pjöngjang der Agentur übergeben habe. Das Kontrollregime der IAEO sollte nicht durch "bilaterale Inspektionen" ersetzt werden. (Schluß) ws

APA405 1992-07-23/18:25

231825 Jul 92

0109

원 본

외 무 부

종 별 :

번 호 : BTW-0195　　　　일 시 : 92 0727 1755

수 신 : 장 관(미일,정특)

발 신 : 주 보스톤총영사

제 목 : 북한 핵관계 기사보고

1. 7.27자 CHRISTIAN SCINECE MONITOR 지는 1면 톱및4면 3단기사로 NORTH KOREA ASKS U.S. TO ENTER 3-WAY TALKSON NUCLEAR POLICY 라는 제목으로 GEORGE MOFFET III의 논평기사를 게재함.

2.동 기사는 북한이 주장하고 있는 3자회담에언급, 미.북관계의 진전은 남북대화의 진행,남.북 상호 핵사찰실시라는 전제조건이충족되어야 한다는 미국의 입장을 보도함.

3.또한 동 기사는 미국의 일부 견해는 3자회담이 북한의 체면을 살려주면서 핵문제등에 있어 양보를 얻어낼수 있다는 점, 북한이 3자회담을주장하므로써 한.미관계의 이간을 획책하고있으나 양국간 결속은 극히 공고하여 이간될수없다는 논리를 세워 3자 회담을 긍정적으로 보려는시각도 있다고 보도함.

4.한편 동지는 ' WATCHDOG AGENCY WARNS NORTH KOREA MAYBE MAKING PLUTONIUM FOR WEAPONS' 라는 제목의 PETERGRIER 기자 집필기사에서 지난주 미 하원에서 영변핵시설을 가리켜 '거대한 플루토늄 핵재처리시설'이라고 말한 HANS BLIX IAEA 국장의말과 많은 전문가들이 북한이 비밀핵프로그램을 가지고 있다고 보고있고 또한 미관리들이 북한에 무기.원자탄제조용 비밀플루토늄저장소가 있을 가능성에 대해 우려하고있다는 사실을 보도함.

5.동 기사 파편 송부 예정임. 끝.

(총영사 안종구-국장)

미주국　외정실　외연원

PAGE 1　　　　92.07.28　07:21 FX

외신 1과 통제관 ✓

0110

21

報 告 事 項

報 告 畢
(signature)

1992. 7.29.
外交政策企劃室
安保政策課(36)

題 目 : 언론기사 반박문 게재

한국 국방연구원(KIDA) 김태우 선임 연구원의 7.22자 조선일보 "핵외교와 화학외교" 제하의 컬럼에 대해 외무부 실무자의 반박문을 독자투고 형식으로 게재코자 함을 보고 드립니다.

1. 컬럼 요지 (7.22자 조선일보 時論)

   o 제목 : 핵외교와 화학외교

   o 요지

     - NPT의 불평등성 지적 및 정부의 비핵정책 비판

     - 국제적 화학무기 금지노력 비판 및 정부의 화학무기 금지협약 서명 방침에 이의 제기

2. 반박문

   o 반박문 명의 : 안보정책과장

     - NPT 및 화학무기 금지협약 의의 부각

     - 대량 파괴무기 비확산을 위한 국제적 노력에 참여해야 할 시대적 당위성 강조

O.K.

별첨 : 김태우 연구원 컬럼 사본
안보정책과장 반박문 끝.

사설 → 미주국 (북미 2과)

0111

時論

「核외교와 化学외교」

金泰宇

非核国에만 족쇄

동서 이데올로기 대립이 종식되면서 국제관계 전반에 걸쳐 잘 살고 힘센 나라들이 못살고 힘 없는 나라들을 지배하는 「南北化」현상이 부쩍 심화되고 있다. 소위 G7 국가들은 자신들의 이익을 위해 오존층 파괴물질 및 지구 온난화 오염물질들의 대부분을 내뿜어 놓고, 이제와서 開途国의 프레온 가스 생산을 소급규제하는 데 한 목소리를 내고 있다. 세계[illegible]의 12%에 불과한데도, 富의 3분의 2를 소유한 것이 바로 이들 나라이다.

힘 없는 나라 겁주는 砲艦외교를 위해 과거에는 좁다란 영해를 고집하다가 무기의 사정거리가 길어진데다 바다자원의 중요성이 커지자 2백해리 경제수역을 国際法化시키는 데 앞장선 것도 이 부자나라들이다. 핵문제도 마찬가지이다. 기존 核国들의 핵보유는 시비하지 않으면서 非核国들에만 「족쇄」를 씌우고 있는 核武器非拡散조약(NPT)의 강제력은 걸프전 이후 부쩍 강화되고 있으며, 旧소련을 겨냥했던미국의 SDI는 美·러시아가 협력해서 제3세계 미사일을 견제하는 지구방어개념(GPALS)으로 대체되고 있다. 화학무기도 「南北化」와 무관한 분야는 아니다.

현재 미국의 주도로 UN군축회의가 추진하고있는 화학[illegible]되면 한국이 제1차[illegible] 서명한다는 방침이 6월30일자조선일보에 보도되었다. 화학무기의 범위, 검증방법등 마지막 미합의부분이 타결되면 서명이 시작되며, 60개국이 비준하는 시점 또는 서명개시후 2년이 지나는 시점에 발효되는 것으로 되어 있다.

지금까지 우리의 対北韓 핵정책에 대해 크게 두 가지의 평가가 있다. 첫째, 정부 결정의 불가피성 및 정당성을 인정하는 긍정적 평가가 있다. 이들은 한국이 11·8 선언으로 스스로 농축 및 재처리 시설의 非보유를 천명한 것에 대해 북한의 핵능력을 우선 제거해야 하는 대명제에 부합하는 조치로 평가한다. 그 결과 한국이 북한에 대해 상응하는 조치를 요구할 수 있었고, 이런 맥락에서 남-북한이 농축·재처리 시설의 非보유를 합의한 비핵화공동 선언을 큰 결실로 평가한다.

둘째, 좀 더 잘할 수 있지 않았느냐는 아쉬움을 나타내는 평가도 있다. 이들은 우리의 핵정책이 북한만을 대상으로 해서는 안되며 앞으로 통일후까지를 내다보는 큰 구상 속에서 이루어져야 한다고 주장한다. 남북이 핵무기 기술이기 이전에 평화용원자력 기술의 꽃에해당하는 농축및 재처리의 비보유를 선언한 것은 「核의 南北関係」에서 남북한 모두의 핵능력 제거를 원하는 미국의 입장을 수용하느라고 서둘러 취한 自虐的 조치라는게 이들의 주장이다.

아울러 주변의 核国들및 準核国 일본에 둘러싸인 채 한반도만 「비핵의 섬」으로 남는 것은 「위험한」 외교적 양보에 해당한다는 점도 지적하고 있다. 북한이 응하지 않을것이 예상되는데도 우리만 먼저 「옷을 벗는 것」은 문제가 많다는 목소리도 있었다.

통일후 내다봐야

두가지의 평가 모두가 일리가 있는 것이라면 화학무기와 관련한 정책에도 참조할 사항이 있을 것이다. 美·日 등 「東西構造」의 우방들과 공조하여 북한이라는 공산집단에 대처하는 일이 최대의 중요성을 가지는 것이 사실이나, 그렇다고 「南北構造」에서의 외교위상을 상실해서도 안된다는 점이 교훈이라면 교훈일 것이다. 화학무기도 남북간의 문제만은 아니며, 국제정치에서의 의미는 꽤나 복잡하다.

12만t의 화학무기 사용으로 1백만명 이상이 사망한 1차대전의 악몽이나 2차대전 직후 발트해에 버려진 30만t의 화학무기를 처리할방법이 없어 전전긍긍하는 연안국들의 고민을 생각하면 이토록 반인륜적 무기는 없을수록 좋다. 그러나 다른면에서 보면 화학무기는 못살고 힘없는 「南」쪽 나라들이 「北」쪽 나라들에 대해 가지는 유일한 지렛대이다.

이미 핵을 손에쥐고 있는 「북」쪽 국가들의 입장에서 본다면 「남」쪽의 외교 무기를 해제시키는 개가가 될수 있다.

평시에는 무해한 두가지 물질로있다가 사용시에만 혼합되어 유독한 물질로 바뀌는 二元化学 기술이 개발됨에 따라 「처지곤란」 주장의 설득력도 옛만큼 강하지는 않다.

한반도에서의 화학무기의 의미도 복잡하다. 한국이 남북한 관계에서 북한의 화학무기를 시비해야하는것은 당연한 일이나 이는 남북한간의 일이며, 대외적으로 화학무기를 선택 가능성의 포기를 약속하는 것은 별개의 외교문제이다. 주변의 核国들에 둘러싸인 채 우리만의 非核을 선포한 상황도 고려 대상이 되어야 한다. 경제도 고려해야 한다. 민수용과 군수용의 경제가 모호한 마당에 선진국이 주도하는 체제가 개도국의 화학산업을 통제한다면 이 또한 헤비급 선수가 경량급 선수에게 「정정당당하게 겨루자」는 논리를 펴는 것과 흡사하다.

「먼저벗는式」곤란

非核도 해야되고 非化学도 해야하는것이 우리가 현재처해있는 입장이라면 그렇게할 수밖에 없다. 그러나 「반대급부」는 있어야 하며, 세계 「南北 政治」에서 우리의 외교위상은 제고되어야 한다.

때문에화학무기협약의서명도 꼭해야할 때가 되어서 서명하는것이 좋으리라 생각되며, 꼭 제1번으로 서명해야 한다면 충분한 損得계산이수반되어야 한다. 核에서 「먼저 벗는」식의 외교가 불가피했다면 그럴수록 화학외교는 달리 진행됨이 바람직하다. 인도의 核외교및 化学외교가 참조될수 있을것이다.

<政博·韓国国防研究院선임연구원>

0112

대량 파괴무기 비확산은 시대적 조류

(7.22자 조선일보 시론 "핵외교와 화학외교" 반박문)

7.22자 조선일보에 게재된 "핵외교와 화학외교" 제하 시론에서 김태우 박사가 그의 논리를 전개하는데 있어 제시한 몇가지의 전제에 이견이 있다. 김 박사는 핵무기 비확산 조약이 비핵국에만 "족쇄"를 씌우는 차별적 성격의 조약임을 강조하고 있는데, 이것은 물론 핵보유국도 핵무기를 철폐해야 하는 당위성을 지적하려는 뜻으로 이해된다.

그러나 우리는 핵확산 금지조약의 불평등성을 지적함에 있어 국제정치의 현실과 핵무기가 갖는 특성을 이해하지 않으면 안된다. 핵무기는 재래식 무기와 다른 속성이 있으니 그 엄청난 파괴력으로 인해 전쟁에서 핵을 먼저 사용하는 측에 대해 월등한 전략상 잇점을 준다는 것이다. 이로써 위기시 핵보유국은 서로가 선제공격을 하려는 심리적 압력을 받게되고, 이러한 상황은 전쟁 발발을 재촉하게 된다. 이래서 핵무기는 '사용하지 않으면 상실하는 무기(use or lose weapons)'가 되는 것이다.

미국과 소련은 이러한 핵무기 속성에 따른 전쟁 발발 위험을 제거하기 위해 1차 피격후 보복공격의 능력 보유를 중시하였다. 그러나 소량의 핵무기 만을 보유하게 될 중소국가가 핵무기를 갖게된다면, 세계도처로 핵전의 위험이 확산되고 국가간의 관계도 더욱 불안정해 질것이 명약관화하다.
또한 핵확산 금지조약은 잠재적 군사 강대국 (예컨데 일본, 독일등)의 핵무장을 억제해 온 기능이 있음을 간과해서는 안된다.

비핵국가의 핵보유를 억제하는데 촛점을 두는 핵확산 금지조약이 그 불평등 성격에도 불구하고 그 존재 의의가 국제적으로 인정되고, 협정 존속 (현 핵확산금지 조약은 1995년 유효 기간이 만료되고, 1995년 이후 협정 연장문제는 1995년 제5차 평가회의에서 논의하게 되어 있다.)의 필요성이 강조되는 소이가 여기에 있다.

한편 김 박사는 화학무기가 가난한 남쪽 나라들이 갖는 지렛대라고 보고 있다.

0113

김 박사도 글에서 언급한대로 화학무기의 참혹성이 관해서는 재론할 필요가 없겠으나, 무엇보다 그 심각성은 화학전에 대비한 아무런 지식이나 장비가 없는 민간인이 그 피해자의 대부분이 된다는데 있다. 화학무기는 그 생산이 비교적 용이하고 저렴하다 해서 "빈국의 핵무기"라고도 불리운다.
화학무기는 그 사용시 참혹한 인적 피해를 준다는 이유로 반인류적이라는 사실외에도 그 정확성, 예측 가능성, 공간 및 기후에 따른 사용 제약이 커 현대전에서 무기로서 효용에 한계가 있다. 또한 현실적인 시각에서 볼때 약소국이 강대국에 대한 화학무기 사용은 그 몇배에 달하는 보복을 각오하지 않고는 이를 사용할 수 없다. 이 모든 점은 지난 걸프전에서 명백하게 드러났다. 이러한 화학무기를 전세계적 차원에서 제거하려는 화학무기 금지협약은 군축 역사상 가장 의의있는 성과로 인정되고 있는 것이다. 따라서 우리가 비핵을 선언한 상태에서 화학무기 선택의 가능성을 계속 지닐 필요가 있다고 시사하는 김 박사의 주장에는 동의 할 수 없다.

냉전종식 이후 형성되는 국제질서는 과거 이데올로기를 위요한 대립과 알력에서 벗어나 화합과 협력을 지향하고 있다. 이러한 시대적 흐름을 반영하여 유엔을 중심으로 국제적 군축논의가 더욱 활발해지고 있으며, 그 논의 과제도 더욱 확대되고 있다. 시대적 조류에 부응하여 우리도 냉전시대의 사고에서 벗어나야 한다. 오늘날 이라크와 북한에 대한 세계의 비난 여론이 비등한 것도 이들 국가가 이러한 세계적 조류에 역행하고 있기 때문이다.
왜 우리가 이들과 유사한 시각에서 국제관계의 흐름을 봐야 하는가?

화학무기 협약은 금년 12월 또는 명년초 파리에서 외상급 회의를 통해 서명될 전망이며, 65개국이 비준서를 기탁하고 서명을 위해 개방된 후 2년이 경과하면 발효된다.

우리나라는 화학무기 금지협약이 채택되면 세계 각국의 동향을 감안하고, 우리의 안보환경과 화학산업에 미치는 영향등 국익에 대한 다각적인 검토를 거쳐 이에 서명하게 될 것으로 예상된다.
김 박사는 우리가 꼭 1번으로 서명해야 한다면 충분한 손익 계산이 수반되어야 한다고 했다. 그러나 정부가 단순히 세계 각국들과 함께 제1착으로 서명하기 위하여 종합적인 판단을 소홀히해야 할 이유는 없다고 하겠다.

<외무부 안보정책과장 조규형>0114

공 란

공 란

공 란

공 란

공 란

공 란

공 란

9

관리 번호	92 -493

외 무 부

종 별 : 지 급

번 호 : USW-3774 일 시 : 92 0730 1915

수 신 : 장 관(미일,미이,정특,국기)

발 신 : 주 미 대사

제 목 : KOREA SOCIETY 주최 한반도 관계 세미나

연: USW-3775

KOREA SOCIETY 는 연호 본직의 오찬 연설에 앞서 금 7.30. 오전 남북한 관계 및 한. 미 방산협력 전망에 관한 세미나를 개최한바, 동 세미나 내용중 남북한 관계에 관한 패널 토의 요지를 아래 보고함.(당관 임성준 참사관, 국무부 KARTMAN 한국과장및 국방부 PENDLEY 국제안보담당 부차관보등이 패널리스트로 참가하고, 미 군수산업체 대표, 컨설턴트 및 아국 상사. 지사 대표등 60 여명이 참관)

1. 주제 발표 요지

가. 임성준 참사관

- 최근 북한이 남북대화에 종전보다 전향적인 자세를 임하고 있는 것은 체제유지를 위한 생존전략(SURVIVAL STRATEGY)이며, 개혁정책으로의 변화를 의미하는 것으로 보기 어려움.

- 남북한 상호사찰을 통해 북한 핵개발 의혹이 불식되지 않는한 경제협력 문제를 포함, 남북관계의 실질적인 진전은 어렵다는 것이 우리정부의 기본입장임.

- 남북한 관계는 ZERO-SUM 게임이 아닌 상호이익과 공동번영을 추구한다는 차원에서 접근하여야 하며, 북한도 이러한 신사고를 수용하여야함.

- 북한 핵문제를 포함한 안보 전분야에서 미국은 중요한 역할을 수행해 왔으며, 지역내 균형자로서의 미국의 역할은 남북한 통일과정은 물론 그 이후에도 지속될 것으로 기대함.

나. KARTMAN 과장

- 그동안 한국정부가 취해온 대북한 정책은 성공적이었다고 평가(APPLAUD)함. 미국은 앞으로도 한국정부가 주도하는 대북정책의 후원자로 계속 남아 있을 것이며, 대한 안보공약에도 변화가 없을 것임.

미주국 장관 차관 1차보 미주국 국기국 외정실 분석관 청와대 안기부

PAGE 1

92.07.31 10:14

외신 2과 통제관 CE

0122

- 핵문제를 통한 한. 미 관계를 이간시키고자 했던 북한의 전략은 오히려 양국간 긴밀한 협의 체제를 강화하는 반대 효과만을 가져왔음.

- 미.북한 관계 개선은 북한에 근본적인 변화가 없는한 기대하기 어려움. IAEA 사찰수락등 최근 북한이 다소 변화의 조짐을 보이고 있는 것은 다행스런(SOMEWHAT ENCOURAGING) 일이나, 아직도 많은 의혹이 남아 있음. 핵문제 해결등을 통해 북한이 변화의 길을 선택한다면 대미관계 개선의 길이 열릴 것임. 현재로서는 미국의 대북한 접촉은 매우 제한된 범위내에서 이루어지고 있음. 북한은 미국인의 방북을 양국간 관계개선의 징표로 악용하고자 하는 의도를 갖고 있으므로, 방북및 대북한 교역등에 신중을 기해주기 바람.

- 미북한 관계개선을 위해서는 핵문제 해결 이외에도 남북관계의 진전, 미군 유해송환등 MIA 문제에 대한 성의 있는 노력, 테러리즘 포기, 대미비방 중지,미사일 수출관련 MTCR 준수, 북한내 인권상황 개선등이 이루어져야 한다는 것이 미국의 기본입장임.

다. PENDLEY 부차관보

- 남. 북한이 비록 각각 상이한 동기(MOTIVATION)에서 이루어진 것으로 보이긴 하나, 기본합의서 채택등 최근 남북 관계의 진전은 매우 중대하고 긍정적인변화임. 문제는 이를 여하히 실천하느냐는데 있음.

- 남북대화는 신뢰증진을 통해 긴장완화에 기여할 것이나, 극도의 폐쇄 사회인 북한에게 개방은 바로 체제의 붕괴를 의미한다는데 우리의 딜레마가 있음. 북한은 통제하의 개방(CONTROLLED OPENING)을 추구하고 있는 것을 보이나, 매우 험난한 과정이라고 봄.

- 북한은 핵문제를 마지막 카드로 활용코자 하고 있으나, 이는 한반도나 동북아 차원을 넘어선 심각한 국제안보문제이므로 IAEA 사찰은 물론 남북한 상호사찰 실시가 반드시 이루어져야 함.

- 미국의 대한 안보공약은 확고하며, 이는 남북관계 진전을 위해서도 긴요함.(최근 발표된 EASI 보고서에서 여사한 안보공약과 북한 핵문제 해결시까지 2 단계 주한미군 철수 동결 방침을 재확인하고 있다고 언급)

2. 주요 토의 요지

가. 소련의 붕괴가 북한 경제에 미친 영향

- 정확한 통계수치로 설명할 수는 없으나 북한은 대부분의 군장비와 50 % 이상의

원유를 소련에 의존해 왔는바, 소련의 붕괴로 이 모든 것을 잃게 되었으며, 구소련의 시장과 시베리아 벌목장등에의 인력진출 기회도 상실케 되었음(KARTMAN 과장)

- 우리정부는 한, 소 수교이후 소련측에 대북한 무기수출 중단을 요구한바 있음.(임참사관)

나. 남북한 관계에 있어 중국의 역할

- 중국은 그동안 북한에 대해 주요 소비재 공급원의 역할을 해 왔으나, 소련의 붕괴이후 중국이 군장비 지원등에 있어 소련의 역할을 대신하고 (FILL IN) 있다는 증거는 없음. 중국은 남한을 중요한 경협 파트너로 인식하고 있으나, 한반도 안정을 위해서는 중국이 보다 신중한 역할(MORE COMPLEX ROLE)을 해야 한다고 믿고 있는 것으로 보임.

중국은 핵문제에 있어서도 남북한 유엔가입시와 마찬가지로 북한에 대한 건설적 조언을 하고 있다고봄.(KARTMAN 과장)

다. 중국의 대북한 미사일 개발기술 지원 여부

- 북한의 SCUD 미사일 개발은 제 3 국 기술도입에서 시작, 이후에는 주로 소련으로 부터 습득한 기술을 통해 이루어진 것으로 알고 있음. 북한 미사일 수출문제 관련 미국의 우려는 중국과 러시아에도 기통보 되었는바, 한가지 다행스런 점은 북한의 미사일 수출은 단지 경제적 필요에 의해(SIMPLY BY ECONOMIC NECESSITY) 이루어지고 있는 것으로 보인다는 점임.(KARTMAN 과장)

라. 상호이익과 공동번영에 기초한 남북관계의 현실성 여부

- (북한이 남북관계 진전을 통해 결국은 모든 것을 다 잃게 될 것으로 우려하고 있을 것이며, 따라서 WIN-WIN SCENARIO 는 현실성이 없는 것이 아니겠냐는 지적에 대해) 매우 어려운 과제이긴 하나 일방의 승리는 타방의 패배라는 냉전적사고에서 탈피한다면 공영, 공존이 가능하다고 봄.(임참사관)

북한이 중국의 모델을 따른다면 가능할수 있음.(PENDLEY 부차관보)

북한이 중국의 모델을 신뢰하고 있을지 여부는 불분명함.(KARTMAN 과장)

- 북한 내부에 만약 새로운 사고와 시각을 갖춘 온건개혁 그룹이 있다면 이들의 입지를 강화해 주는 노력도 필요하다고 봄.(임참사관). 끝.

(대사 현홍주-국장)

예고: 92.12.31. 까지

7/31 이

외 무 부

종 별 : 지 급

번 호 : USW-3775 일 시 : 92 0730 1915

수 신 : 장 관(미일,미이,정특,국기,해외,문홍)

발 신 : 주 미 대사

제 목 : KOREA SOCIETY주최 오찬연설회

1. 본직은 금 7.30 KOREA SOCIETY 가 당지에서 주선한 표제회의에서 북한의 핵문제와 대북정책을 주제로 오찬연설을 하였는 바, 동 요지아래 보고함.

가. 북한은 당초 핵개발 자체를 부인, 핵확산방지조약에 의한 국제의무를 완전외면하였으나,

. 우리는 북한의 IAEA 사찰수락을 위한 국제사회의 대북 압력 강화와 남북 상호사찰을 제의하는 양면전략을 통해 정돈된 국면타결을 위해 노력을 해왔음. 그 결과, 북한은 우리의 1단계 선제조치에 응해 1991년 12월 남북한 상호사찰 원칙을 합의했으며 92 년 1월에는 IAEA 와 안전협정에 서명, 그이후 두차례의 사찰을 받았음. 제1단계가 진전을 위한 문호의 개방이었다면 앞으로 2단계 노력을 통해 남북한 상호사찰실시등 한반도에서의 핵확산 문제에 결론을 내리는 종결조치가 취해져야 함.

나. 국제사회에서 점차 고립이 심화되는 북한은 심각한 경제난을 겪고 있으며, 핵개발 계획이 서방산업 국가와 정상적인 경제.정치적 관계유지에 심각한 장애가 되고 있음에도 불구하고, 북한은 핵문제에 관해 완강한 입장을 유지하고 있음.

다. 그러나, 최근 핵문제에 관한 정체상태가 해결될수 있다는 약간의 징조가 나타나고 있음.북한은 1990년 이후 남북총리 회담에 응해 오고있으며 1991년초 일본과의 수교제의를 했으며 1991년 9월 유엔가입이라는 우리의 오랜 제안을 받아들였고 북한에 특별경제구역의 설치등 외국자본과 기술도입을 위한 노력과 아울러 핵사찰에도 제한된 진전이 있었음.

라. 북한은 싫든 좋든 국제사회의 환경변화와 한국의 선제정책에 적응하고 있으나 이같은 적응이 북한의 근본적 변화를 나타내는 것은아님. 북한의 지도층은 개혁으로 인해 다른 공산국가가 어떻게 되었는가를 목격했으며 이같은 사태가 북한에서 일어나지 않기 위해 최대한의 노력을 하고 있는지도 모름. 그러나 아직은 북한에

미주국 미주국 국기국 문협국 외정실 공보처

92.07.31 09:41 WG

외신 1과 통제관

0125

개방과 개혁이 도래하지 않았음.북한은 변화하는 세계에서 불가피한 자체적응노력을 하고 있음. 이 정도의 변화도 없는 것 보다는 낫다고 말하는 사람도 있음.그러나, 피상적인 변화로는 불충분하며 이제 우리는 언젠가는 불가피하게 제기될 북한의 근본적인 변화를 유도해 야 할것임.

마. 우리는 인권문제를 포함, 북한의 근원적문제에 대해 해결책을 찾아야 함. 북한의 인권문제는 새로운 도전이 아니며 근원적인도전임 (KEY CHALLENGE). 헬싱키협정이 소련의개혁의 발단을 제공했듯이 북한도 북한내부사정에 대한 국제사회의 점증하는 관심과 조명을 통해 스스로 도움을 받을 수도 있음.북한의 내부변화없이는 미국과의 관계 개선도 이뤄지지 않을 것이며 이같은 변화는 자극과 격려를 통해서만 이뤄질 것임. 또한 북한은 국가지원 테러활동과 무기 확산등 국제사회의 관행을 무시하고 있어 이 같은 무분별한 행위도 시정되어야 하며 기존의 국제법상 원칙을 준수해야 함.

바. 이제 대북한 관계 타개를 위한 제2단계에 접어 들면서 우리는 종전에 취해온 강온양면전략을 지속해야 함. 북한의 핵위협이 존속되는 한 우리는 공동보조를 취해야 하며 미국과 일본, 그리고 소련과 다른 나라들은 대북관계의 개선을 유보하면서 단호한 입장을 취해야함., 결코 대북한 대책에 있어 혼선이 있어서는 않됨. 우리는 구라파에서 CSCE 과정이 동구변화 유도에 주요한 역할을 했다는 점에서 어느정도 교훈을 얻을 수도 있음. 정치및 안보문제에 대한 역내 다자간 대화는 북한이 체면을 유지하면서 개혁을 모색할 수 있는 보호막을 제공할 수도 있음. 그러나 남북간의 협상과 BEUA하는 남북한이 주도적 역할을 해야한다는데 이견이 있을 수 없음. 그렇지 않을 경우 북한의 남북대화의 채널을 외면 또는 무시하는 수법을 시도할지도 모름.

사. 대북한의 강온 양면전략과 관련, 필요한 경우에는 강경책을 구사해야 함. 미국과 일본및 여타 우방들이 북한과의 관계개선을 일관되게 거부함으로써 우리는 그동안의 성과를 끌어낼수있었음. 북한의 최대관심사는 경제협력의 확보이나, 이는 북한이 핵 개발의 야망을 포기할때 가능할 것임. 강온 양면전략의 요체는 유화책과 강경책의 신축적 대응 (GOOD COP/BADCOP TREATMENT)에 있음. 최근 북한의 부총리가 한국을 방문한 경우는 한국정부가 북한에 대한 견제를 완화하는 것이 아니라 '선량한 경찰'의입장에 서 한국이 성의표시를 한것임.

아. 한국 통일의 장래는 예측할수 없으나 우리가 결코 양보할수 없는 몇개의 분명한 원칙이있음. 통일정책의 2개의 기조는 첫째, 민주정부의 실현과 인권존중이며

둘째, 통일은 한국인의 안전과 생존을 보장하는 통일이어야 한다는 것임. 통일한국은 스스로의 국가 이익을 보존하고 지역의 안보를 유지키 위해 군사력을 유지해야 할 것임. 이 지역에서의 미국의 존재는 당분간 계속 중요성을 가질 것이며 이와관련 미군은 통일 후에도 한국에서 환영을 받을 것임.우월리가 직면한 도전은 우리의 최종 목표달성을 위한 전략을 현명하게 구상하여 실천하는 것임.우리는 모든 조치가 조심스럽게 계산 되고 조정되어 실행되어야 하는 중대한 시기를 맞이하고 있음.

2. 상기 회의는 'AEROSPACE AND DEFENSE' 제하에 마련됐으며 본직의 오찬 기조연설에 앞서 KARTHAN 국무부 한국과장, 당관 임성준참사관및 미국의 관련기업체 대표들이 토론에 참가하는 2개 PANEL 토의가 개최되었는 바(장소:메디슨 호텔) 동 요지는 별전 보고함.

3. 본직의 연설문 별첨 팩시편(USWF-5011)송부함.

(대사 현홍주-국장)

0127

외고문서 비밀해제: 북한 핵 문제 2

북한 핵 문제 총괄 2

초판인쇄 2024년 03월 15일
초판발행 2024년 03월 15일

지은이 한국학술정보(주)
펴낸이 채종준
펴낸곳 한국학술정보(주)
주 소 경기도 파주시 회동길 230(문발동)
전 화 031-908-3181(대표)
팩 스 031-908-3189
홈페이지 http://ebook.kstudy.com
E-mail 출판사업부 publish@kstudy.com
등 록 제일산-115호(2000. 6. 19)

ISBN 979-11-7217-075-2 94340
979-11-7217-073-8 94340 (set)